Wo die Mauer war

Where the Wall Stood

Wo die Mauer war

Mit Fotos von Harry Hampel
und Texten von Thomas Friedrich

Where the Wall Stood

With photographs by Harry Hampel
and texts by Thomas Friedrich

nicolai

5. Auflage 2005

English: Ann Robertson and Annette Wiethüchter
Lithos: Druckpunkt GmbH
und LVD GmbH, Berlin
Druck und Verarbeitung:
Polygraf Print, Prešov
Printed in Slovakia
ISBN 3-87584-948-5

Einleitung

Die Regierungen der Warschauer Vertragsstaaten verstehen natürlich, daß die Ergreifung von Schutzmaßnahmen an der Grenze Westberlins für die Bevölkerung gewisse Unbequemlichkeiten schafft...

(Aus der am 13. August 1961 veröffentlichten »Erklärung der Regierungen der Warschauer Vertragsstaaten«)

Jetzt wird es noch schöner. Jetzt haben wir schon Grenzen innerhalb der Stadt.

(Arbeiter im Gaswerk Lichtenberg am Morgen des 13. August 1961)

Man muß Abstand nehmen von der Mauer, um sie in ihrer ganzen peinigenden Absurdität erkennen zu können.

(Wolfdietrich Schnurre, 1962)

Wo die Mauer war? Man könnte auf jene am 13. August 1961 in der DDR-Presse veröffentlichte undatierte »Erklärung der Regierungen der Warschauer Vertragsstaaten« verweisen, in der diese »sich an die Volkskammer und an die Regierung der DDR, an alle Werktätigen der Deutschen Demokratischen Republik mit dem Vorschlag [wenden], an der Westberliner Grenze eine solche Ordnung einzuführen, durch die der Wühltätigkeit gegen die Länder des sozialistischen Lagers zuverlässig der Weg verlegt und rings um das ganze Gebiet West-Berlins, einschließlich seiner Grenze mit dem demokratischen Berlin, eine verläßliche Bewachung und eine wirksame Kontrolle gewährleistet wird«. Und auf den gleichzeitig veröffentlichten »Beschluß des Ministerrates der Deutschen Demokratischen Republik« vom 12. August 1961, in dem diese Erklärung brav und mit fast identischem Wortlaut nachvollzogen wird: »Zur Unterbindung der feindlichen Tätigkeit der militaristischen und revanchistischen Kräfte Westdeutschlands und West-Berlins wird eine solche Kontrolle an den Grenzen der Deutschen Demokratischen Republik einschließlich der Grenze zu den Westsektoren von Groß-Berlin eingeführt, wie sie an den Grenzen jedes souveränen Staates üblich ist. Es ist an den Westberliner Grenzen eine verläßliche Bewachung und eine wirksame Kontrolle zu gewährleisten, um der Wühltätigkeit den Weg zu verlegen.« Nur den Gehirnen der in den Ländern des Warschauer Pakts regierenden Parteibürokraten mit ihrer gestelzt-hölzernen Sprache konnte es einfallen, einer Tätigkeit den Weg verlegen zu wollen. Aber der Sprachstil ist hier nebensächlich; wichtig war die Terminologie. Man wird das künftigen Generationen übersetzen müssen, jenes

»demokratische Berlin« als die offizielle Bezeichnung für die »Hauptstadt der Deutschen Demokratischen Republik«. Eine Bezeichnung, die sich öffentlich bemerkbar vor allem auf Schildern an »der Grenze zu den Westsektoren von Groß-Berlin« machte – auch als bewußt demonstrativ gewählte Geste gegenüber jenem bekannten Hinweis »You are leaving the American Sector«, dem man allenthalben auch auf den Abbildungen in diesem Buch begegnen wird. Und man wird »West-Berlin« übersetzen müssen als geradezu geniale sprachliche Vorwegnahme jener von der Sowjetunion und ihren Verbündeten angestrebten Umwandlung des solcherart bezeichneten Territoriums in eine »entmilitarisierte neutrale Freie Stadt«. Konnte man sich ein Nordhamburg, ein Ostmünchen oder ein Südleipzig vorstellen? Die Antwort liegt auf der Hand, waren diese Städte doch nicht durch die alliierten Siegermächte des Zweiten Weltkriegs in Sektoren aufgeteilt worden, die jeweils der Befehlsgewalt einer der Besatzungsmächte unterstanden. Mit Berlin aber, der Reichshauptstadt, war eben dies geschehen. Hatte sich aber erst der institutionalisierte gemeinsame Oberbefehl über die Viersektorenstadt, die Alliierte Kommandantur, im Kalten Krieg aufgelöst, so konnte – nach der Logik der »östlichen« Seite – zwar nicht geographisch, aber politisch die Viersektorenstadt in zwei Städte zerlegt werden: hier das »demokratische Berlin«, dort »West-Berlin«. Zwischen beiden existierten dann folgerichtig auch Grenzen, wo nach der Logik der »westlichen« Seite die Sektorengrenzen mit ihrer Vorläufigkeit im völkerrechtlichen Sinn keine wirklichen Grenzen, sondern »Demarkationslinien« waren.

Ob Demarkationslinien oder Grenzen – der Beschluß des DDR-Ministerrats erwähnt außer jenem politischen Gebilde »West-Berlin« als Ort der »Ergreifung von Schutzmaßnahmen«, wie sie die Erklärung der Regierungen der Warschauer Vertragsstaaten »vorschlägt«, die Grenze zu den Westsektoren von Groß-Berlin. Und ob man den Zusammenhang zwischen Mauerbau und Weltkriegsende anerkennt oder ablehnt – spätestens hier kommt das Londoner Abkommen über die Besatzungszonen in Deutschland und die Verwaltung von Groß-Berlin vom 12. September 1944 ins Spiel, in dem die Unterzeichnerstaaten USA, Großbritannien und UdSSR sich erstmals darauf einigten, nach der von ihnen angestrebten bedingungslosen Kapitulation Deutschlands das Reichsgebiet in drei Zonen einzuteilen und darüber hinaus »the Berlin area«, wie es in der englischsprachigen Fassung des Abkommens heißt, gemeinsam zu besetzen und es zu diesem Zweck ebenfalls unter den zukünftigen Besatzungsmächten aufzuteilen. Unter dem Begriff »Berliner Gebiet«, so sagt das Abkommen ausdrücklich, sei das Territorium von »Groß-Berlin« zu verstehen, wie es durch das Gesetz vom 27. April 1920 definiert worden sei. Das betreffende Gesetz sprach jedoch an keiner Stelle von einem Gebilde namens »Groß-Berlin«, sondern statt dessen von der Schaffung der »neuen Stadtgemeinde Berlin«. Die Alliierten hatten unversehens in den Text ihres Abkommens nicht den juristisch korrekten

Begriff der Sache übernommen, sondern den allgemein üblichen; der Volksmund sprach mit Selbstverständlichkeit von »Groß-Berlin«, wo der Gesetzestext von 1920 den Begriff mit Rücksicht auf allerlei Empfindlichkeiten diverser Kommunalpolitiker vermied. War doch die Zusammenlegung des historischen Kerns von Berlin mit Dutzenden der umliegenden selbständigen Städte, Gemeinden und Landgüter zu einem einheitlichen kommunalen Gebilde nur mit großen Schwierigkeiten und letztlich verspätet zustande gekommen. Fortan jedenfalls war der Terminus »Groß-Berlin« sozusagen völkerrechtlich geadelt.

Die Aufteilung seines Territoriums war jedoch zunächst lediglich für die Streitkräfte der Sowjetunion bestimmt. Ihnen wurde der nordöstliche Teil Groß-Berlins zur Besetzung zugewiesen, und das Londoner Abkommen zählte die »districts«, die zu diesem Nord-Ost-Teil Berlins gehören sollten, einzeln auf: Es handelte sich um die Bezirke Pankow, Prenzlauer Berg, Mitte, Weißensee, Friedrichshain, Lichtenberg, Treptow und Köpenick. Die Zuweisung des nordwestlichen Teils von Groß-Berlin an die Streitkräfte Großbritanniens und des südlichen Teils von Groß-Berlin an die Streitkräfte der USA wurde erst in dem Abkommen der drei Alliierten über Ergänzungen zu dem Londoner Abkommen vom 14. November 1944 festgelegt. Durch das Ergänzungsabkommen vom 26. Juli 1945 wurde die gleichberechtigte Beteiligung Frankreichs an der Besetzung Deutschlands offiziell bestätigt. Vier Tage später billigte der Alliierte Kontrollrat auf seiner konstituierenden Sitzung in Berlin dieses Abkommen; dabei wurde der zusätzliche Französische Sektor dadurch gebildet, daß aus dem Nord-West-Teil Groß-Berlins, der Großbritannien zugeteilt worden war, die beiden Bezirke Wedding und Reinickendorf herausgenommen und Frankreich zugeordnet wurden. Den Britischen Sektor bildeten die verbliebenen vier Bezirke Tiergarten, Charlottenburg, Spandau und Wilmersdorf. Die restlichen Bezirke (der »Südteil von Groß-Berlin«, wie es im Londoner Abkommen vom 12. September 1944 hieß), also Zehlendorf, Steglitz, Schöneberg, Kreuzberg, Tempelhof und Neukölln, bildeten zusammen den US-amerikanischen Sektor. Damit stand der Umfang der Sektoren aller vier Besatzungsmächte fest, im Sommer 1945 wurde Berlin auch de facto zur Viersektorenstadt.

Der Verlauf des Kalten Krieges machte die Abgrenzung der Sektoren der westlichen Alliierten untereinander bald vollständig überflüssig; eine große Rolle hatte sie ohnehin nie gespielt. Schon bald nach Kriegsende wurden, auch umgangssprachlich, die »Westsektoren« mit dem »Ost-« oder »Sowjetsektor« konfrontiert, und im voll entflammten Kalten Krieg standen sich nach Währungsreform, Blockade und Luftbrücke sowie Spaltung von Administration und Regierung der beiden Stadthälften ein Ost- und ein West-Berlin gegenüber. In diesen Zusammenhang gehören dann auch die wohlbekannten propagandistischen Attribute, die sich jede Seite selbst verlieh (bis hin zum erwähnten

»demokratischen Berlin«). Um so bemerkenswerter ist es, daß die vorauseilende Phantasie des Pressezeichners Karl Holtz, der sich als Karikaturist schon in den Jahren vor 1933 einen Namen gemacht hatte, bereits auf der Titelseite des 2. Novemberheftes 1946 der von den renommierten Antifaschisten Herbert Sandberg und Günther Weisenborn herausgegebenen Zeitschrift »Ulenspiegel« der erst in Ansätzen sich abzeichnenden Spaltung Berlins eine konkrete Gestalt zu verleihen wußte: Es war eine (natürlich noch aus Ziegelsteinen errichtete) Mauer, die da ganze anderthalb Jahre nach Kriegsende sich endlos lang durch das Trümmerfeld Berlin zog. Die Redaktion legte als Bildunterschrift dem Michel-Ost wie dem Michel-West, die halb seufzend, halb voller Neid den Himmel über der jeweils anderen Stadthälfte betrachten, die Äußerung »Ja, der hat's gut, der lebt unter einem besseren Himmel« in den Mund. Fünfzehn Jahre vor der Errichtung der realen Mauer war eine Mauer als Sinnbild der Teilung der Stadt also offenbar in den Köpfen politisch besonders sensibilisierter Zeitgenossen bereits vorhanden.

Die Mauer als Quintessenz dessen, was in den anfangs zitierten Erklärungen als »verläßliche Bewachung« und »wirksame Kontrolle« an der Grenze der DDR bzw. des zu seiner Hauptstadt erklärten ursprünglichen sowjetischen Sektors mit »West-Berlin« bezeichnet worden war, ist demnach innerstädtisch überall da, wo ein »westlicher« an einen »östlichen« Bezirk stieß, errichtet worden; da, wo der Stadtrand der Westsektoren an das Umland, die DDR, stieß, stand sie auf der Stadtgrenze, d. h. der Grenze des jeweiligen »westlichen« Berliner Außenbezirks zur DDR, die heute die Grenze zum neuen Bundesland Brandenburg darstellt. Allerdings muß diese generell zutreffende Definition des Mauerverlaufs mit einer nicht eben kleinen Einschränkung versehen werden. Wenn es nämlich allgemein heißt, diese Stadtgrenze sei seit der Bildung der »neuen Stadtgemeinde Berlin« (»Groß-Berlin«) im Jahre 1920 im wesentlichen unverändert geblieben, so ist das nicht ganz zutreffend. Es ist nämlich nicht nur an der westlichen Grenze des Bezirks Spandau im Wege des Gebietstauschs zugunsten der Erweiterung des britischen Militärflughafens Gatow die westliche Hälfte Staakens, eines alten Spandauer Ortsteils, aufgrund eines Kontrollratsbeschlusses vom 30. August 1945 unter sowjetische Befehlsgewalt gestellt und demzufolge später in den Hoheitsbereich der DDR eingegliedert worden. Abgesehen von einigen Gebietsaustauschaktionen und -käufen im Wege von Abkommen zwischen der DDR und dem Senat von West-Berlin wird meist ein Passus im Londoner Abkommen vom 12. September 1944 übersehen, der sich auf den Verlauf der Bezirksgrenzen von »Groß-Berlin« bezieht. Diese Grenzen seien nämlich jene, wie sie seit dem Inkrafttreten der am 27. März 1938 im »Amtsblatt der Reichshauptstadt« veröffentlichten Verordnung über die Neuordnung der Bezirksgrenzen existierten. Wie in Berlin – als der Stadt der Tradition der Traditionslosigkeit – üblich, ist diese damals angeordnete, teilweise recht erhebliche Abänderung des Verlaufs der Bezirksgrenzen untereinander (also innerstädtisch, nicht an der Stadtgrenze), sowohl aus dem individuellen Erinnerungsvermögen der Einwohner wie aus dem kollektiven historischen Gedächtnis der Stadt so gut wie verschwunden. Dabei wurde damals, um ein nicht eben unerhebliches Beispiel zu nennen, die Grenze des Bezirks Charlottenburg vom Westrand des Nollendorfplatzes zugunsten Schönebergs in westlicher Richtung bis zur Nürnberger Straße zurückgenommen. Und auch da, wo nach 1945 »Westbezirke« an Bezirke im sowjetischen Sektor stießen, wo also nach dem 13. August 1961 die Mauer errichtet wurde, hatten die Abänderungen des Verlaufs der Bezirksgrenzen von 1938 teilweise folgenschwere Konsequenzen. So wäre die Errichtung der Mauer im Südwesten des Bezirks Mitte zum Bezirk Kreuzberg hin entlang der Niederkirchnerstraße (der vormaligen Prinz-Albrecht-Straße) und der Zimmerstraße nicht so schnurgerade möglich gewesen, wie sie dann 1961 ausfiel, denn erst durch die Verordnung von 1938 wurde die bis dahin in diesem Abschnitt stark winkelige Grenze zwischen den Bezirken begradigt. Im übrigen blieben auch von den 1938 durchgeführten Abänderungen etliche der nur durch lokalhistorische Details (Straßenführung, Eigentumsverhältnisse usw.) erklärlichen Absonderlichkeiten und Merkwürdigkeiten der Grenzziehung zwischen den Bezirken, mithin des späteren Mauerverlaufs, bizarre Zacken und Winkel, Vorsprünge und Bögen, gänzlich unberührt.

Der Bau der Mauer, genauer gesagt: der verschiedenen Mauergenerationen, produzierte darüber hinaus eine fatale Eigendynamik. Die Geschichte der Mauer ist auch, vielleicht sogar in erster Linie, die Geschichte der ständigen Perfektionierung von Bewachung und Kontrolle mit Hilfe stets verfeinerter, auf Beobachtung und Verarbeitung von Erfahrungen gründender – nicht bloß stets technischer – Methoden. Es ist ein weiter Weg von den im nachhinein makabererweise »primitiv« und improvisiert anmutenden Grenzbefestigungen der »Pionierphase« der ersten Jahre über die Weiterentwicklung als »Moderne Grenze« seit 1965 (vgl. etwa die Beschreibung des Standes von 1967 bei W. Krumholz, Berlin-ABC, S. 431 f.) bis zu den ausgetüftelten, »sauberen« und optisch angenehmer gestalteten Anlagen des letzten Mauerjahrzehnts. Man muß sich – auch beim Betrachten der Fotos des vorliegenden Bandes – stets der Tatsache bewußt sein, daß die Frage nach dem Verlauf »der Mauer« im Grunde genommen am Charakter des letzten Standes der »Grenzsicherungsanlagen« vorbeizielt. Was wir uns im bequemen Alltagssprachgebrauch »die Mauer« zu nennen angewöhnt haben, war in Wirklichkeit ein kompliziertes System aus bis zu einem Dutzend aufeinander abgestimmter Bestandteile:

1. Der Grenzverlauf.
2. Das »Feindwärtsgebiet« (Unterbaugebiet).
3. Das vordere Sperrelement (Zaun). In Berlin meist eine etwa vier Meter hohe Betonplattenwand mit Rundrohraufsatz.

4. Der KFZ-Sperrgraben (in Berlin wegen Platzmangel zuweilen durch Panzersperren – »Spanische Reiter« – ersetzt).
5. K 6 (Kontrollstreifen aus geharktem Sand, sechs Meter breit, zur Kenntlichmachung von Fußspuren. In der Berliner Innenstadt Todesstreifen genannt, da hier in Panik schnell geschossen wurde, Flüchtlinge wären schnell im Westen gewesen).
6. Kolonnenweg (meist aus Lochbetonplatten, in Berlin oft asphaltiert).
7. Schutzstreifen (Idealbreite 500 Meter, in Berlin meist nicht vorhanden, hier standen die Beobachtungstürme, hier taten die Truppen ihren eigentlichen Dienst).
8. K 2 (zwei Meter breiter Kontrollstreifen, zur Feststellung von Fluchtversuchen).
9. Grenzsignalzaun (elektrischer Drahtzaun, der bei Berührung Alarm auslöste). In der Führungsstelle zeigten die Signalfelder den Ort des Alarms an.
10. Hinteres Sperrelement (Zaun). In Berlin meist eine Mauer.
11. In schwer einsehbarem und zu kontrollierendem Gelände gab es einen weiteren Zaun mit K-Streifen und Grenzaufklärer im Patrouillendienst.
12. Sperrgebiet (Idealfall 5 Kilometer Breite, in Berlin oft nur angrenzende Grundstücke).
13. Grenznaher Raum, Kontrollen der Polizei (am Autobahnabzweig vor Drewitz/Dreilinden saß beispielsweise in einem Turm die Transportpolizei und fischte DDR-Fahrzeuge aus dem Verkehr, die kein Potsdamer Kennzeichen hatten und trotzdem weiter auf West-Berlin zufuhren). Hinzu kamen in Gewässern mit Nägeln gespickte stählerne »Unterwassermatten«, die Stacheldrahtverhaue in der Berliner Kanalisation und weitere Sicherungsmaßnahmen, die jedes Schlupfloch versperren sollten.

Zusammenfassend ist also festzustellen, daß in Berlin die Grenzanlagen sehr verkürzt waren und nicht den »Idealfall« darstellten. Zudem verzichtete man in der Stadt auf Minenfelder, setzte aber Hunde ein. Die beengten Verhältnisse suchte man durch verstärkten Personaleinsatz wieder wettzumachen. Um West-Berlin saßen die Posten 1989 auf 300 Beobachtungstürmen und in 22 Bunkern.« (Vgl. Jodock, Die Mauer entlang, S. 18 f.)

»So stehn sie am Potsdamer Platz herum und finden die Mauer nicht mehr.« Abgewandelt nach einer Zeile eines bekannten Gedichts von Erich Kästner gilt diese Sentenz nicht nur für Berlin-Besucher. Wo genau die Mauer denn eigentlich verlief, diese Frage wird immer häufiger auch von Einwohnern der Stadt selbst gestellt. In dem Maße, in dem die Ereignisse der Jahre 1989/90 zur Historie werden und die Stadt, bedingt durch Bauboom und Verkehrserfordernisse, gerade im ehemaligen Grenzbereich ihr Gesicht grundlegend verändert, verliert sich die Erinnerung an den konkreten Verlauf des 1990/91 fast völlig verschwundenen monströsen Bauwerks ins Vage und Ungefähre. Und so sieht man sie denn, Einheimische wie Touristen, mit Armen und Zeigefingern fuchtelnd, am Brandenburger Tor und am (Ex-) Checkpoint Charlie, im Dorfkern von Staaken und in der Bernauer Straße, ratlos auf der Suche nach Zeugnissen der verschwundenen Grenze. Ist es nur Bildungsbeflissenheit, die sie treibt, wie ein Journalist unlängst spottete? Trauern diejenigen, die beklagen, man habe zu früh, zu rücksichtslos, zu unüberlegt und natürlich mit deutscher Gründlichkeit fast sämtliche Grenzanlagen abgebaut und zerstört, lediglich über den massiven Rückgang der Touristenströme nach dem ersatzlosen – Baustellen hin, Pergamonaltar her – Wegfall der größten Attraktion, die die Stadt zu bieten hatte? Oder spüren sie, daß in Berlin, wie so oft in der Geschichte der Stadt, wahrscheinlich wieder einmal eine Chance vertan wurde – und immer noch wird –, mit dem eigenen historischen Erbe verantwortungsvoll und reflektiert umzugehen? Im Westteil der Stadt hat man 1987 anläßlich der 750-Jahr-Feier Berlins auf dem Mittelstreifen der Stresemannstraße eine Nachbildung der von 1734 bis 1736 im Zuge der heutigen Ebert-, Stresemann-, Gitschiner und Skalitzer Straße, zwischen dem Unterbaum in der Spree im Westen und dem Oberbaum im Osten errichteten Stadtmauer aufgestellt. Die Mauer diente einst dazu, die Akzise – eine Verbrauchssteuer auf Güter des alltäglichen Bedarfs – einzutreiben, aber auch dazu, Desertionen der Soldaten zu verhindern. Wem ist noch bewußt, daß die alte Stadtmauer, die 1867/68 abgebrochen wurde, zwischen dem späteren Grundstück des Reichstagsgebäudes und dem Beginn der heutigen Stresemannstraße fast genau denselben Verlauf nahm wie die Mauer von 1961, und wie stark die alte Mauer die Topographie der Innenstadt prägte, ebenso wie einst die Befestigungsanlagen des Großen Kurfürsten? Die »Topographie der Mauer von 1961 bis 1990/91« muß noch geschrieben werden; aber bereits jetzt steht fest, daß es in Berlin an Bewußtsein und Sensibilität dafür fehlt, welchen Einschnitt in die städtische Substanz, in ein zum Teil auch nach den Zerstörungen des Zweiten Weltkriegs noch vorhandenes Stadtgefüge, der Bau der Mauer und ihr steter Ausbau zur »Modernen Grenze« in drei Jahrzehnten bedeuteten. Die Abbildungen dieses Bandes zeigen auch, daß es in der Stadt an Kühnheit mangelt, über die bloße Rekonstruktion der Verkehrswege und Baulückenfüllung hinausgehend, die städtebauliche Zukunft mit weiter Perspektive energisch anzugehen. Das kann nicht nur am fehlenden Geld liegen.

Das vorliegende Buch versucht die Frage nach dem genauen Verlauf der Mauer auf ebenso einfache wie einleuchtende Weise zu beantworten. Als Mittel der Konfrontation von Geschichte und Gegenwart dienen dokumentarisch präzise Fotografien, die jeweils auf einer Doppelseite einander gegenübergestellt werden. Seit dem Ende der siebziger Jahre schon übten Mauer und Grenzanlagen rund um den Westteil Berlins auf den Fotografen Harry Hampel eine magische Anziehungskraft aus. Er hat mit seiner Kamera die bekannten und »prominenten« Orte ebenso dokumentiert wie die unspektakulären, abseits der Touristenziele gelegenen Stellen. Nach dem Fall der Mauer begann er seine Dokumentation ein zweites Mal. Er tat dies mit einer Methode, die der Idee dieses Buches zugrundeliegt, indem er nämlich exakt dieselben Straßenabschnitte, Plätze und Stadträume, an denen er in den Jahren bis 1989 Mauer und Grenzanlagen aufgenommen hatte, die durch den Abriß der Mauer und die Beseitigung des Todesstreifens seit 1990 entstandenen neuen bzw. wiederhergestellten alten stadträumlichen Situationen aufnahm. Dies geschah zumal mit dem Anspruch, die ehemalige und die jetzige Situation nach Möglichkeit aus derselben Aufnahmeposition und mit derselben Perspektive zu fotografieren. Auf diese Weise ist ein fotografisches Spezialarchiv zustande gekommen, das im vorliegenden Band zu einem vergleichenden Blick auf Geschichte und Gegenwart einlädt. Berlin einst und jetzt – an über fünfzig ausgewählten Stellen, die ehemals Schnittpunkte zwischen Ost und West waren, an denen aber gegenwärtig die Stadt die Bedingungen ihrer Zukunft produziert. Enzyklopädische Vollständigkeit konnte weder angestrebt noch erreicht werden, eher eine exemplarische Zusammenstellung typischer Konstellationen. So mag der eine oder die andere einen ganz bestimmten Abschnitt der Grenzanlagen vermissen. Was erreicht werden konnte, ist die Faszination und Verblüffung, die die fotografischen Gegenüberstellungen auslösen, und die in einem zweiten Schritt nicht selten provokativer und eher zum produktiven Nachdenken anregend wirken als so manche Rede und so mancher Text zum selben Thema.

Thomas Friedrich

1 Brandenburger Tor (p.24–29, 126–131)
2 Reichstag (p.120–125)
3 Ebertstraße (p.30–31)
4 Potsdamer Platz (p.32–41)
5 Stresemannstraße (p.42–43)
6 Niederkirchnerstraße (p.44–45)
7 Wilhelmstraße (p.46–47)
8 Zimmerstraße (p.48–51)
9 Checkpoint Charlie (p.52–59)
10 Kochstraße (p.60–63)
11 Springer-Hochhaus (p.64–71)
12 Moritzplatz/H.-Heine-Straße (p.72–73)
13 Waldemarstraße (p.74–77)
14 Bethaniendamm/Mariannenplatz (p.78–81)
15 Oberbaumbrücke (p.82–83)
16 Neukölln, Elsenstraße (p.84–85)
17 Neukölln / Treptow (p.86–87)
18 Wedding, Chausseestraße/Liesenstraße (p.118–119)
19 Wedding, Bernauer Straße (p.112–117)
20 Reinickendorf, Pankow (p.110–111)

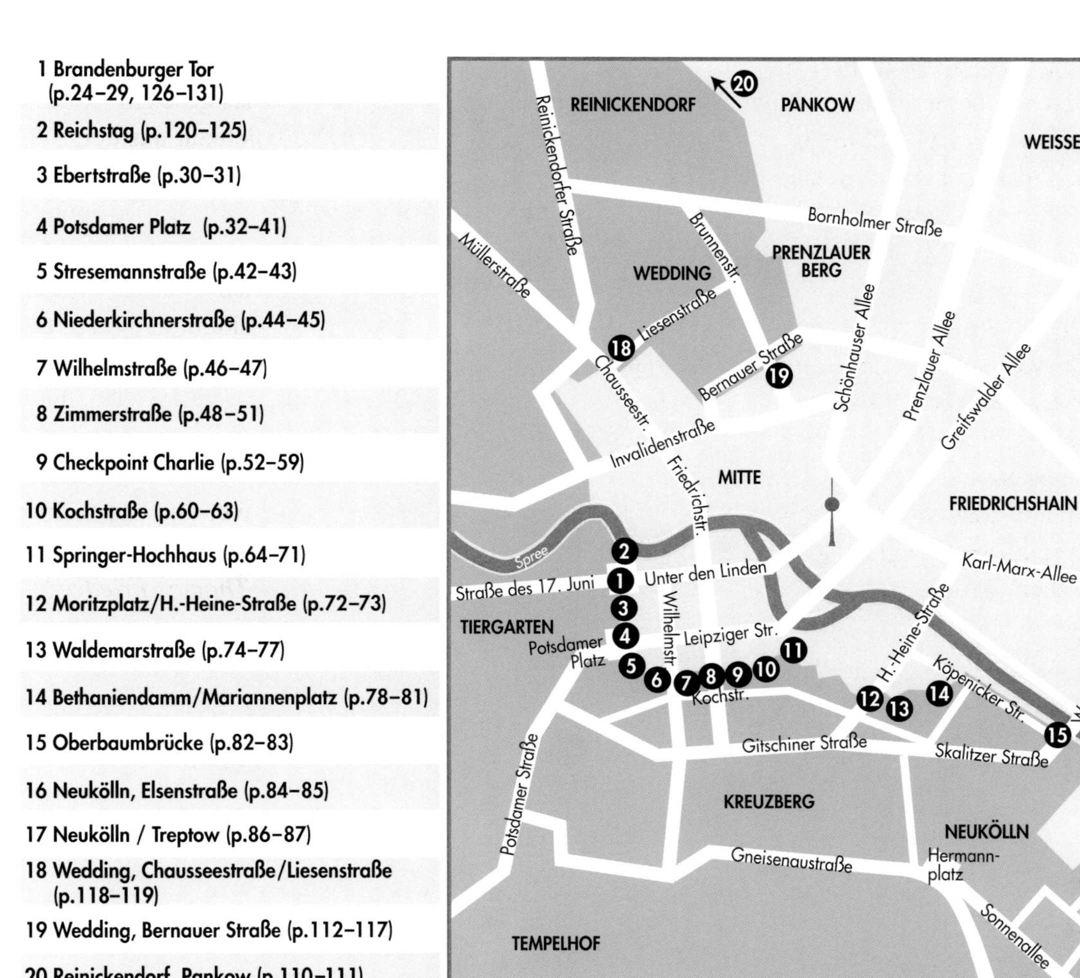

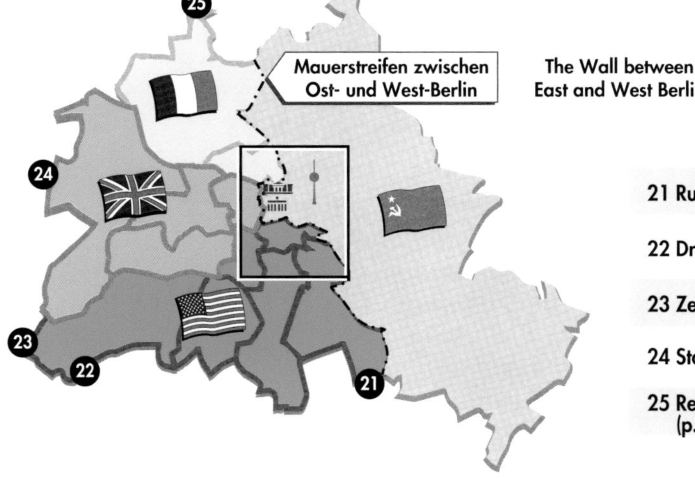

The Wall between East and West Berlin

21 Rudow (p.88–95)
22 Drewitz/Dreilinden (p.96–99)
23 Zehlendorf (p.100–103)
24 Staaken (p.104–107)
25 Reinickendorf, Oranienburger Chaussee (p.108–109)

ULENSPIEGEL

LITERATUR · KUNST · SATIRE

HERAUSGEGEBEN VON HERBERT SANDBERG UND GÜNTHER WEISENBORN

Jahrgang 1 · Nummer 24 · 2. Novemberheft 1946 · Preis 60 Pfennig, auswärts 70 Pfennig

Ja, der hat's gut, der lebt unter einem besseren Himmel — Zeichnung von Karl Holtz

Titelseite der Zeitschrift Ulenspiegel

1. Jg., Novemberheft 1946, mit einer Zeichnug von Karl Holtz,
Sammlung Thomas Friedrich.

Front page of the satirical journal Ulenspiegel

year 1, no. 24, November 1946, cartoon by Karl Holtz,
Thomas Friedrich collection.

Die Sommerstraße mit der Stadtmauer im Jahre 1865

Fotografie von F. Albert Schwartz,
Sammlung Hans-Werner Klünner.

Sommerstrasse and the old city wall in 1865

Photograph by F. Albert Schwartz,
Hans-Werner Klünner collection.

Die Zimmerstraße als Teil des aufgelassenen Grenzstreifens

Blick in Richtung Osten auf den Grenzübergang Friedrichstraße / Checkpoint Charlie (Bildmitte),
Foto: Landesbildstelle Berlin, Februar 1990.

Zimmerstrasse and a section of the death strip

Looking east towards the border crossing point Friedrichstrasse / Checkpoint Charlie (centre),
Photograph: Landesbildstelle Berlin, February 1990.

Introduction

The Governments of the Warsaw Pact Powers are aware that taking protective measures along the borders of Westberlin will cause the population a certain amount of inconvenience…

(From the "Declaration of the Governments of the Warsaw Pact Powers" published on 13 August 1961)

Wonderful! Now we've even got borders through the middle of the city.

(A worker at the Lichtenberg gasworks on the morning of 13 August 1961)

You have to distance yourself completely from the Wall to see it in all its brutal absurdity.

(The author Wolfdietrich Schnurre, 1962)

Where was the Wall? Let's take a look at the undated statement published in the East German press on 13 August 1961, the "Declaration of the Governments of the Warsaw Pact Powers". The statement addresses "the Peoples Chamber, the Government of the GDR and all working people of the GDR with the proposal to establish an order on the borders of Westberlin which will securely block the way to the subversive activity against the countries of the socialist camp so that reliable safeguards and effective control can be established around the whole territory of Westberlin, including its border with democratic Berlin". We can also look at another document: the "Decision of the Council of Ministers of the German Democratic Republic" which was published concurrently on 12 August 1961 and dutifully echoed the declaration using almost identical wording: "In order to repress the hostile activity of the military and revanchist forces of West Germany and Westberlin, a particular form of control will be introduced along the borders of the German Democratic Republic, including the border to the western sectors of Greater Berlin, such as normally exists along the borders of every sovereign state. Reliable safeguards and effective control must be ensured along the Westberlin borders to block the way to subversive activity." Only the ruling party bureaucrats of the Warsaw Pact countries with their stilted and wooden formulations could think up a phrase such as "to block the way to subversive activity". But the style of the language is really less relevant here than the specific terminology. Future generations will need translations of such expressions as "democratic Berlin", which was the official term for the "capital of the German Democratic Republic". This Term became increasingly conspicuous on the public signs along "the borders to the western sectors of Greater Berlin". It was also a consciously selected, demonstrative gesture against that famous sign: "You are leaving the American Sector", so often encountered in the city and again in this book. And the specially invented term "Westberlin", characteristically written as a single word in official GDR jargon, will also have to be explained to future generations. This newly generated term can be seen as a brilliant linguistic anticipation of the aim of the Soviet Union and her allies to transform that particular area of territory into a "demilitarised, neutral, Free City". Who could possibly imagine a "Northhamburg", an "Eastmunich" or a "Southleipzig"? The answer is simple: the victorious allies of the Second World War did not divide these particular cities up into sectors, each under the command of one of the occupation powers. But in the case of Berlin, the capital of the German Reich, precisely this did happen. When the combined four-power command over the city, the "Kommandantur", disintegrated during the Cold War, it meant – according to "eastern" logic – that the city could be divided into two separate entities. The four-sector city could be split into two cities, not in the geographical but in the political sense: "democratic Berlin" in the east and "Westberlin" in the west. This in turn meant that real borders existed between the two parts. But, according to "western" logic, the temporary sector borders were by no means legitimate in terms of international law; they were in fact "demarcation lines".

Demarcation lines? Borders? Whatever the case, the decision of the GDR Council of Ministers mentions not only the political entity "Westberlin" as the place to "take protective measures" as "suggested" by the "Declaration of the Governments of the Warsaw Pact Powers", but also the border to the western sectors of "Greater Berlin". And whether people acknowledge or deny the connection between the building of the Wall and the end of the Second World War, it is at this point that the London protocol on the occupation zones in Germany and the administration of Greater Berlin of 12 September 1944 comes into play. In this protocol the signatory states, the USA, Great Britain and the USSR, agreed for the first time that, after the intended unconditional surrender of Germany, the country would be divided into three zones. It also stated that the "Berlin area", as it was termed in the English version of the protocol, would be jointly occupied and to this purpose would also be divided up between the future occupation forces. The term "Berlin area" was clearly outlined in the protocol as "the territory of 'Greater Berlin' as defined by the Law of 27 April 1920". Paradoxically, that particular law made absolutely no mention of an area called "Greater Berlin". It referred instead to the creation of the "new municipal community of Berlin". The allies had inadvertently adopted the term normally used in everyday speech as opposed to the one used in the actual legal text. In popular speech people quite naturally referred to "Greater Berlin", whereas the law of 1920 consciously avoided this term in an effort to side-step the various sensitivities of numerous local politicians. In a long, difficult and greatly delayed process, the historical centre of Berlin was finally united with dozens of surrounding autonomous towns, communities and country estates to create a new municipal entity. So, in the end, the protocol more or less promoted the popular term "Greater Berlin" to a new unknown status within the framework of international law.

The division of the city was, however, initially agreed for the military forces of the Soviet Union who, as it happened, were the first to enter Berlin in the final days of the war. They were specifically assigned the north-eastern part of Greater Berlin for occupation purposes. The London protocol clearly listed these districts as: Pankow, Prenzlauer Berg, Mitte, Weissensee, Friedrichshain, Lichtenberg, Treptow and Köpenick. It was not until later, in the London protocol amendments of 14 November 1944, that the north-western part of Greater Berlin was assigned to the forces of Great Britain, while the southern part of Greater Berlin was assigned to the forces of the USA. The equal rights of France in the occupation of Germany were then officially confirmed in the protocol amendment of 26 July 1945. Four days later the Allied Control Council ratified this agreement during its inaugural meeting in Berlin. At the same time the additional French sector was created by removing the two districts of Wedding and Reinickendorf from the original British sector in the north-western part of Greater Berlin and assigning them to France. The British sector then consisted of the remaining four districts of Tiergarten, Charlottenburg, Spandau and Wilmersdorf. The "southern part of Greater Berlin" specified in the London Protocol of 12 September 1944, i.e. the districts of Zehlendorf, Schöneberg, Kreuzberg, Tempelhof and Neukölln, formed the American sector. As soon as the definition and assignment of each occupation sector had been completed in the summer of 1945, Berlin became de facto a four-sector city.

As the Cold War intensified any territorial demarcations between the sectors of the western allies quickly became superfluous. They had never played a particularly important role anyway. Soon after the end of the war it became common, in popular speech as well, to refer to the three "western sectors" as opposed to the "eastern" or "Soviet sector". In the midst of the Cold War, after the currency reform, the blockade and airlift, the division of the administration and government, the rift deepened and two halves of the city stood in confrontation: East Berlin and West Berlin. It was also during this phase that each side developed its own familiar propagandistic attributes, including the previously mentioned term "democratic Berlin". It is quite astounding that the satirical cartoonist, Karl Holtz, who had already made a name for himself before 1933, possessed such clarity of vision to picture an impending division of the city in very concrete terms, even though the signs of the time were still very much in their infancy. His cartoon appeared on the front page of the second issue of Ulenspiegel in November 1946. This edition of the satirical journal, published under the auspices of two highly reputed antifascists, Herbert Sandberg and Günther Weisenborn, opened with Holtz's cartoon of a hand-built brick wall cutting its way through the heart of war-torn Berlin. Two German Michels, Michel East and Michel West, stand gazing in envy and longing at the sky over the other side. In a caption added by the editors, they are saying in unison: “Yes, he’s really lucky, he’s living beneath a far better heaven”. Those who were particularly sensitive to the changes in the political environment could already detect a wall forming in people's minds, fifteen years before the real Berlin Wall was erected.

The Wall was to become the quintessence of what the various declarations deemed appropriate to provide “reliable safeguards” and “effective control” along the border of the GDR and between its newly declared capital, originally the “Soviet sector”, and “Westberlin”. This meant that the Wall was built throughout the inner city, wherever a "western" district bordered on an “eastern” one, as well as along the outskirts of the city where the peripheral “western” districts bordered on the surrounding territory of the Soviet occupation zone, the GDR. Today, this outer demarcation line represents the border between Berlin and the new federal state of Brandenburg. This, of course, is a very general definition of the Wall’s route, in reality it was slightly different. People usually assume that the city border has remained basically unchanged since the creation of the “new municipal community of Berlin” (“Greater Berlin”) in 1920, but this is not strictly true. Not only did the Control Council agree on 30 August 1945 to an exchange of territory to enable extensions to the British military airfield at Gatow on the western border of the district of Spandau. In return the western half of Staaken, an old part of Spandau, was placed under Soviet control and later integrated into the GDR. There were also a number of territorial exchanges and sales based on agreements between the GDR and the West Berlin Senate. But apart from these exchanges, one particular section of the London Agreement of 12 September 1944, referring to the course of the district borders in “Greater Berlin”, has often been overlooked. The borders adopted in the agreement were in fact those newly defined in the official gazette of the “Imperial Capital” on 27 March 1938. This particular directive made some quite incisive changes to the inner district borders, but as so often happens in Berlin – the city with a tradition of non-tradition – recollection of them has all but vanished, both from the individual memories of the inhabitants and from the collective historical memory of the city. One of the more major changes of 1938 enlarged the district of Schöneberg by shifting Charlottenburg's western border from the west side of Nollendorfplatz back to Nürnberger Strasse. Some of the changes made in 1938 had bitter consequences after 1945 because, as they still defined the city’s inner district borders, they also shaped the course of the Wall when it was built on 13 August 1961. The old border between the south-western side of the district Berlin-Mitte and Kreuzberg once ran in intricate zigzags but it was changed in 1938 into a rigid straight line, along Niederkirchnerstrasse (formerly Prinz Albrecht Strasse) and Zimmerstrasse, which the Wall then obediently followed. Despite the rationalization of 1938, the district borders still contained a multitude of meanders resulting from details in local history (road development, property rights etc.), so when the Wall was erected it still snaked through parts of the city in an amazing variety of weird twists and turns, bizarre zigzags, corners and curves.

The building of the Wall, or rather the different generations of the Wall, triggered a process with its own fatal dynamics. The history of the Wall is, perhaps primarily, a history of attempted perfectionism: the perfection of surveillance and controls with increasingly sophisticated (not merely technical) methods based on observations and the meticulous analysis of experience. Over the years the Wall was transformed from a series of seemingly "primitive" and improvised fortifications in the "pioneer phase" into a "modern border" after 1965 (see the description of development in 1967 given by W. Krumholz in: Berlin ABC, p. 431 f). Eventually, the relentless improvements resulted in the fastidious "cleanliness" and visually "more pleasing" design of the Wall installations during its final decade. When we ask: "Where was the Wall?", we tend to forget (even when looking at the photographs in this book), that the question itself disregards the true character and complexity of the border installations in their final, efficient stage. What we now commonly refer to as "the Wall" is really a simplification of everyday speech. In reality it was a complicated system consisting of up to twelve carefully coordinated components:

1. The actual border line.
2. The outer strip overlooking "alien territory".
3. The front barrier element (fence). In Berlin usually a four-metre-high concrete slab walltopped with round piping.
4. Trench system serving as a vehicle trap (in Berlin often replaced by tank barriers due to limited space).
5. K 6 (control strip with raked sand, six metres wide, for detecting footprints. Called the death strip in central Berlin because refugees could reach the West quickly and border guards opened fire in panic reaction).
6. Patrol strip (usually made of concrete slabs, in Berlin often asphalt surface).
7. Protective strip (ideal width 500 metres, in Berlin usually non-existent. Watchtowers positioned here; border troops performed their duties here).
8. K 2 (a two-metre-wide control strip for detecting escape attempts).
9. Border signal fence (electrified wire fence that triggered alarm when touched). The location of the alarm point was registered on monitors in the control centre.
10. Rear barrier element (fence). In Berlin predominantly a second wall.
11. In areas where surveillance or controls proved difficult there was an additional fence with a control strip and regular patrols by border guards.
12. No-go zone (ideally 5 kilometres wide)

13. Border zone areas. Police controls (e.g. at the autobahn junction near Drewitz/ Dreilinden members of the transport police occupied a watchtower and singled out GDR vehicles if they had anything other than Potsdam registration plates and were proceeding towards West Berlin). In addition there were steel "underwater mats" spiked with nails and positioned throughout the waterways, barbed wire barriers within the sewers beneath the city, and other security measures designed to close every possible escape route.

All in all it can be said that the border installations in Berlin were restricted by lack of space and so did not fulfil the "ideal" border concept. As it was decided not to lay mine fields in the city, guard-dogs were used instead. All efforts were made to compensate the lack of certain border installations by increasing the border personnel. In 1989 border guards were posted in 300 watchtowers and 22 bunkers surrounding West Berlin. (see Jodock, Die Mauer entlang, p. 18 f.)

"There they all stand at Potsdamer Platz and can't find the Wall any more." This variation on a line from a poem by Erich Kästner applies not only to visitors in Berlin. Where exactly was the Wall? This question is being increasingly asked by people who actually live in the city. As the events of 1989/90 drift into history and the face of the city changes radically with the building boom and new transport systems, especially in the former border wastelands, so too are memories rapidly fading of the exact route traced by the concrete monstrosity that was demolished in 1990/91. And so, there they stand, tourists and Berliners alike, pointing and gesticulating, at the Brandenburg Gate and old Checkpoint Charlie, at the village centre in Staaken and on Bernauer Strasse, helplessly searching for remains of the vanished border. Is it merely educational assiduity that drives them, as one journalist recently teased? And what about the people who complain that the complete inventory of border installations was dismantled and destroyed far too soon, too ruthlessly, too rashly and, of course, with far too much German thoroughness? Do they, despite having the world's biggest building site and the Pergamon Museum, mourn the huge decrease in the number of tourists since the irreplaceable loss of the biggest attraction the city once possessed? Or do they sense that once again in Berlin, as so often in the city's past, the opportunity has been – and still is being – lost to treat its historical legacy in a responsible and contemplative way? In 1987, during Berlin's 750th anniversary celebrations, the western part of the city reconstructed a section of the old city wall along the centre of Stresemannstrasse. The old city wall was originally built between the "Unterbaum", or lower boom, in the River Spree in the west and the "Oberbaum", the upper boom, in the east, along what is now Ebertstrasse, Stresemannstrasse, Gitschiner Strasse and Skalitzer Strasse. The city wall was designed to ensure the payment of excise duties, in this case a consumer tax on goods of everyday use, but it also helped prevent soldiers from deserting.

Very few people are now aware that the old city wall, which was demolished in 1867–68, followed almost exactly the same route as the Wall of 1961 between the area where later the Reichstag building was erected and the beginning of what is now Stresemannstrasse. People are equally unaware of how greatly the inner-city topography was shaped by not only the old city wall but also the earlier fortifications of the Great Elector. The "Topography of the Wall between 1961 and 1990/91" still has to be written; but already consciousness of this recent chapter in history is rapidly declining. The construction of the Wall and its incessant development into a perfect "modern border" over a period of thirty years made deep gashes in the existing urban landscape, some of which had actually survived the war, but there is little awareness of this today. The photographs in this book also highlight a lack of bold imagination in urban design, a reticence to depart from the mere reconstruction of transport routes or the filling-in of spaces between existing buildings. There is a marked absence of energetic, innovative urban planning and broad, future-oriented perspectives. This cannot be attributed solely to a lack of finance.

Where was the Wall? This book offers answers by juxtaposing the past and the present in the form of precise documentary photographs placed on opposite pages. Ever since the end of the seventies, the Wall and border installations surrounding West Berlin possessed a magical attraction for the photographer, Harry Hampel. His camera documented not only the famous and "prominent" places but also the less spectacular areas far from the normal tourist routes. After the fall of the Wall, he began his documentary odyssey once more. His method formed the basic concept of this book. He went to exactly the same roads, squares and areas of the Wall and border installations that he had already photographed over the years prior to 1989. He then meticulously documented the new or reconstructed urban situations as they developed along the rapidly disappearing Wall and its death strip after 1990. His main aim was to contrast the old and the new situations by taking his photographs, as far as possible, from the same position and with the same perspective. This resulted in the building of a very special photographic archive, and readers are invited to share these unusual pictures with their contrasting images of the past and the present. Berlin yesterday and today: the book presents over fifty different places, where East and West once converged, and where the city is now building the context of its future. The book makes no claims to encyclopaedic comprehensiveness. It presents instead an illustrative collection depicting typical constellations. Some readers will probably search in vain for a particular section of the border. Nevertheless, the technique of contrast seen in these photographs manages to evoke that peculiar mixture of fascination and astonishment which often proves more provocative and conducive to thought than many a speech or article on the same topic.

Thomas Friedrich

Die Mauer am Brandenburger Tor, 1986

Der Platz vor dem Brandenburger Tor bildete seit 1920 die Grenze zwischen den Bezirken Mitte und Tiergarten, seit 1945 die Grenze zwischen sowjetischem und britischem Sektor. Hier begann am frühen Morgen des 13. August 1961 die Abriegelung des Ostteils der Stadt.

The Wall at the Brandenburg Gate, 1986

From 1920 onwards the square in front of the gate formed the border between the districts of Mitte and Tiergarten. After 1945 it was the border between the Soviet and British sectors. The Wall was started here in the early hours of 13 August 1961.

Blick von Westen auf das Brandenburger Tor, 1994

Mit dem Abbruch der Mauer ist aus dem Brandenburger Tor wieder ein tatsächliches Tor geworden. Solange die Mauer existierte, war dies der weltweit prominenteste Ort der Stadt; kein Wunder, daß er jetzt zum obligaten Empfangsort bei Staatsbesuchen geworden ist.

Looking east through the Brandenburg Gate, 1994

When the Wall was removed the gate again became a thoroughfare. During the Wall years this was the city's most famous sight; not surprising that all state visitors are now officially welcomed here.

Blick vom Brandenburger Tor in Richtung Westen, 1990

Kurz vor dem Abbruch der Mauer vom Dach des Brandenburger Tores aufgenommen, zeigt das Bild den hier der halbrunden Form des Vorplatzes angepaßten Verlauf der Mauer. In der Bildmitte verläuft die Straße des 17. Juni quer durch den Tiergarten.

Looking west from the Brandenburg Gate, 1990

Taken from the top of the Brandenburg Gate shortly before the dismantling of the Wall, this photograph shows the semi-circular borderline it followed. In the centre the Strasse des 17 Juni cuts through the Tiergarten parklands.

Blick vom Brandenburger Tor in Richtung Westen, 1994

Die durch den Fall der Mauer ermöglichte Rekonstruktion des Stadtraums nimmt nicht selten städtebaulich dürftige Formen an: Wo dreißig Jahre lang Niemandsland lag, wird der »Platz vor dem Brandenburger Tor« als bloßer Verkehrsknotenpunkt wiederhergestellt.

Looking west from the Brandenburg Gate, 1994

After the fall of the Wall, reconstruction of city space began. Results were often primitive. The square in front of the Brandenburg Gate, no-man's-land for thirty years, was at first turned into an uninspiring traffic hub.

Blick vom Brandenburger Tor in Richtung Potsdamer Platz, 1990

Die Straße vom Brandenburger Tor zum Potsdamer Platz entstand erst 1867. Seit 1925 hieß sie Friedrich-Ebert-Straße, 1933 Hermann-Göring-Straße, ab 1945 wieder Ebertstraße. Nach 1961 wurde sie Teil des Todesstreifens.

View from the Brandenburg Gate towards Potsdamer Platz, 1990

The road from the gate to Potsdamer Platz was built in 1867. It was named Friedrich Ebert Strasse in 1925, Hermann Göring Strasse in 1933 and Ebertstrasse in 1945. In the Wall era it formed part of the death strip.

Blick vom Brandenburger Tor in Richtung Potsdamer Platz, 1998

Die Ebertstraße wurde kurz nach dem Mauerfall wiederhergestellt. Zur Umfahrung des Brandenburger Tors wurde die Behrenstraße (linker Bildrand) über die ehemaligen Ministergärten hinaus verlängert.

View from the Brandenburg Gate towards Potsdamer Platz, 1998

Ebertstrasse was rebuilt shortly after the fall of the Wall. Behrenstrasse was extended through the former ministerial gardens to circumvent the gate (on the left edge of the picture).

Die Mauer entlang der Friedrich-Ebert-Straße, 1990

Südlich vom Brandenburger Tor (oben links) zwischen dem Tiergarten und der stillgelegten Ebertstraße verlaufend, sieht man die Mauer, von zahlreichen »Mauerspechten« heimgesucht, kurz vor ihrer Abtragung; rechts ein ehemaliger Durchlaß der DDR-Grenztruppen.

The Wall along Ebertstrasse, 1990

To the south of the Brandenburg Gate (upper left), between the Tiergarten and the disused Eberstrasse: the Wall, already pock-marked by "Wall woodpeckers", awaits demolition; on the right, an old inspection door once used by GDR border troops.

Die wiedererstandene Ebertstraße, 1998

Wie auf der vorigen Abbildung geht der Blick in Richtung Norden zum Brandenburger Tor, aber nunmehr ist er frei auf den dazugehörigen Pariser Platz mitsamt einigen bereits fertiggestellten und im Bau befindlichen Gebäuden.

After reconstruction, Ebertsstrasse in 1998

As in the opposite picture, looking north towards the Brandenburg Gate, but now with a clear view of the surrounding Pariser Platz. Some of its buildings have been completed, some are still under construction.

Am Südostrand des Tiergartens, 1991

Nach dem Bau der Mauer verödete hier das einstige innerstädtische Areal auf beiden Seiten. Vom Dach des Weinhauses Huth aus, dem »letzten Haus am Potsdamer Platz«, geht der Blick zum Tiergarten, davor die Überreste des Hotels Esplanade, rechts oben der ehemalige Todesstreifen.

On the south-east edge of the Tiergarten, 1991

After the erection of the Wall a wasteland emerged on both sides. Seen from the roof of Weinhaus Huth, the "last building at Potsdamer Platz", the camera shows the Tiergarten as a backdrop to the remains of the Hotel Esplanade and the death strip on the upper right.

Am neuen Potsdamer Platz, 2002

Die westlich vom Potsdamer Platz in wenigen Jahren errichteten neuen Büro- und Geschäftshäuser sind aus dem Nichts entstanden: Die Innenstadt aus der Retorte ist an die Stelle der Stadtbrache getreten, selbst die Varian-Fry-Straße (vorne links, zum SonyCenter führend) ist eine Neuschöpfung.

The new Potsdamer Platz, 2002

The new office and retail buildings on Potsdamer Platz, built over a short period of a few years, did not rise out of ruins but were built from scratch. The inner city, a 'laboratory product', has replaced the urban wasteland and even Varian-Fry-Strasse (left foreground, leading to the SonyCenter) is a new creation.

Der Leipziger Platz vor der Silhouette des alten Stadtzentrums, 1984

Am Horizont (fast) alle Kirchtürme, die seit jeher die Berliner »Stadtkrone« bilden, Rathaus- und Stadthausturm sowie zu DDR-Zeiten errichtete Bauwerke. Der Mauer-Innenring zerschneidet den Leipziger Platz und riegelt die zur Sackgasse gewordene Leipziger Straße ab.

Leipziger Platz against the silhouette of the city centre, 1984

The horizon shows almost all the old church spires (the city's "crown"), the Red Town Hall tower and various buildings from GDR times. The second, inner, wall cuts across Leipziger Platz reducing Leipziger Strasse to a dead-end street.

Blick auf das »Mosse-Palais« und den wieder entstehenden Leipziger Platz, 2002

Das »Mosse-Palais« (links) war einige Jahre lang der einzige Neubau am ehemaligen »Oktagon«, dem jetzt tatsächlich achteckig wieder entstehenden Leipziger Platz. Dahinter (von der Bildmitte aus rechts) wird in den nächsten Jahren das Areal des ehemaligen Warenhauses Wertheim neu bebaut werden.

View of the 'Mosse Palais' and the re-emerging Leipziger Platz, 2002

For a number of years, the Mosse Palais building (left) was the only new building on the octagon of Leipziger Platz which is now being rebuilt in its original octagonal shape. Behind it (right of the centre), the coming years will see the area of the former Wertheim department store redeveloped.

Die Mauer am Potsdamer Platz, 1987

Der Potsdamer Platz war eins der beliebtesten Ziele des »Mauertourismus« auch bei jüngeren Leuten, wohl der Handgreiflichkeit des Kontrastes wegen, der sich zwischen »damals« und »heute« herstellen ließ, und der teilweise recht ansehnlichen Mauer-Graffiti.

The Wall at Potsdamer Platz, 1987

Potsdamer Platz was one of the most popular features in the "Wall tourist's" programme. Young people in particular were drawn by the palpable contrast between "then" and "now" as well as the often highly imaginative Wall graffiti.

Blick über den Potsdamer Platz zum Leipziger Platz, 2002

Den linken Bildrand wird bald das »Kanada Haus« mitsamt der Kanadischen Botschaft einnehmen. »Kunst am Bau«, rekonstruierter Verkehrsturm (Bildmitte) und andere Stadtmöbel tragen dazu bei, dass hier von »geschlossener Platzwirkung« einstweilen nicht die Rede sein kann.

View across Potsdamer Platz towards Leipziger Platz, 2002

Soon, the left-hand side of this view will be taken up by 'Canada House' including the Canadian embassy. Works of art on the buildings, the reconstructed traffic tower (centre) and miscellaneous pieces of street furniture contribute to the fact that, at present, it is out of the question to talk of a 'unified' overall appearance of the square.

Mauer und Todesstreifen zwischen Brandenburger Tor und Stresemannstraße, 1984

Die Aufnahme zeigt anschaulich, daß – wo immer möglich – der Todesstreifen von einem Außen- und einem Innenring eingefaßt wurde. Links im Bild, wo die Busse die Mauertouristen ablieferten, ist das letzte Stück der Potsdamer Straße erkennbar.

The Wall and the death strip between the Brandenburg Gate and Stresemannstrasse, 1984

This picture clearly shows how, wherever possible, the death strip was flanked by an outer and an inner wall. The tourist buses on the left are parked on the last remaining section of Potsdamer Strasse.

Nordwest-Südost-Panorama: Potsdamer und Leipziger Platz, 2002

Die neu entstandenen Bauten auf der Südseite des Leipziger Platzes (Hintergrund rechts) deuten jetzt bereits an, dass der Platz in Zukunft wieder ein Achteck darstellen wird. Einzig verbliebener Orientierungspunkt für historische Vergleiche: der Fernsehturm, winzig klein im Hintergrund.

North-west/South-east panorama: Potsdamer and Leipziger Platz, 2002

The new buildings on the south side of Leipziger Platz (background and right) indicate already that the completed square will again describe an octagon. At present, the only point of orientation for historical comparisons is the television tower, in this picture a tiny pin in the background.

Blick über die Mauer am Potsdamer Platz in die Leipziger Straße, 1984

Jenseits der Mauer sind die DDR-Grenztruppen damit beschäftigt, die »moderne Grenze« auf den Stand der aktuellen Technik zu bringen. Der Mauer-Innenring zieht sich über die Leipziger Straße (rechts von der Bildmitte), etwa dort, wo einst das Warenhaus Wertheim stand.

Looking over the Wall at Potsdamer Platz into Leipziger Strasse, 1984

On the death strip GDR border guards are busy adding the latest technical gadgets to the "modern border". In the background the "inner" wall cuts across Leipziger Strasse (upper right) near where the famous department store "Wertheim" once stood.

Blick in die Leipziger Straße vom Potsdamer Platz, 2002

Einst wanderten hier die Blicke über die Mauer hin zu den trostlosen Resten der Berliner City. Fast anderthalb Jahrzehnte nach dem Mauerfall verdeutlicht die Szenerie am vorerst fragmentarischen Leipziger Platz, wie mühevoll der Weg zur Rekonstruktion der Innenstadt noch sein wird.

View along Leipziger Strasse from Potsdamer Platz, 2002

Once this would have been the view, across the Berlin Wall, of the desolate remains of the city centre of Berlin. Thirteen years after the fall of the Wall, the scene, i.e. the currently fragmentary reconstruction of Leipziger Platz, shows how much effort still has to be put into rebuilding the centre of Berlin.

Die Mauer zwischen Potsdamer Platz und Niederkirchnerstraße, 1982

Der Mauerverlauf ist hier identisch mit dem Nordwestende der Stresemannstraße und deren Einmündung in den Potsdamer Platz. Bis zu diesem Punkt stand die DDR-Mauer etwa auf der Trasse der Stadtmauer von 1735.

The Wall between Potsdamer Platz and Niederkirchnerstrasse, 1982

The course of the Wall here is identical with the north-west end of Stresemannstrasse and its junction with Potsdamer Platz. Up to this point the Wall followed virtually the same route as the old city wall of 1735.

Die Stresemannstraße zwischen Potsdamer Platz und Niederkirchnerstraße, 1994

Nach dem Fall der Mauer konnte der durchgehende Straßenzug Ebertstraße – Stresemannstraße wiederhergestellt werden. Er führt vom Brandenburger Tor über den Potsdamer Platz zum Mehringplatz.

Stresemannstrasse between Potsdamer Platz and Niederkirchnerstrasse, 1994

Once the Wall had gone Ebertstrasse and Stresemannstrasse were reconnected. This road stretches from the Brandenburg Gate across Potsdamer Platz to Mehringplatz.

Die Mauer entlang der Niederkirchnerstraße, 1981

Die Niederkirchnerstraße, über deren Bürgersteig die Mauer verläuft, hieß einst Prinz-Albrecht-Straße. 1933 war die Gestapo-Zentrale hier untergebracht worden. Links das ehemalige Preußische Abgeordnetenhaus, rechts das Kunstgewerbemuseum (1877-1881, Architekten: Gropius und Schmieden).

The Wall along Niederkirchnerstrasse, 1981

The Wall runs along Niederkirchnerstrasse, formerly Prinz Albrecht Strasse, home of the infamous Gestapo headquarters in 1933. On the left is the former Prussian parliament building, on the right the old Museum of Applied Arts (1877-1881, architects: Gropius and Schmieden).

Die Niederkirchnerstraße, 2002

Zwischen Berliner Abgeordnetenhaus (ehem. Preußischer Landtag, links), Bundesfinanzministerium (ehem. Reichsluftfahrtministerium, Mitte) und dem Martin-Gropius-Bau (ehem. Kunstgewerbemuseum, rechts) erinnert nur die Pflasterstein-Doppelreihe (Diagonale im Vordergrund) an den Verlauf der Mauer.

Niederkirchnerstrasse, 2002

Only a double row of paving stones (diagonal line in the foreground) now reminds us of the alignment of the Berlin Wall between the former Prussian Parliament (now Berlin Chamber of Deputies), the former Reich Ministry of Aviation (now the Federal Ministry of Finance) and the Martin Gropius Building (right).

Die Mauer an der Wilhelmstraße, 1984

Die Straße, die durch die Mauer zerschnitten wurde, hieß auf der Kreuzberger Seite auch nach 1945 Wilhelmstraße, auf Ost-Berliner Seite hingegen (bis zu ihrer Rückbenennung 1993) Otto-Grotewohl-Straße, um die Erinnerung an ihre Tradition als preußisch-deutsche Regierungsmeile zu tilgen.

The Wall at Wilhelmstrasse, 1984

This street, severed by the Wall, kept the name of Wilhelmstrasse on the Kreuzberg side after 1945. On the East Berlin side it was renamed Otto Grotewohl Strasse (until 1993) in an effort to eradicate its traditional association with the power centres of Prussian rule.

Die Kreuzung Wilhelmstraße / Zimmerstraße, 1998

Von den Regierungsgebäuden an der Westseite der Wilhelmstraße ist lediglich das 1935/36 errichtete Reichsluftfahrtministerium erhalten geblieben. – Wo bis 1990 die Mauer die Wilhelmstraße durchschnitt, ist der Weg Richtung Unter den Linden (abgesehen vom Dauerstau) wieder frei.

The junction of Wilhelmstrasse and Zimmerstrasse, 1998

Of all the government buildings on the west side of Wilhelmstrasse, only the Imperial Air Ministry (built 1935/36) remained intact. This particular section of road was opened up in the direction of Unter den Linden in 1990.

Die Mauer entlang der Zimmerstraße, 1989

Der Blick geht die Zimmerstraße und die Mauer entlang, die hier wie in ihrer Verlängerung (der Niederkirchnerstraße) an der Bürgersteigkante verlief, in Richtung Westen zum Martin-Gropius-Bau – seit 1981 als Ausstellungshaus reaktiviert.

The Wall along Zimmerstrasse, 1989

Looking west down Zimmerstrasse and its continuation, Niederkirchnerstrasse. Here the Wall ran along the edge of the pavement towards the Martin Gropius Building (rear left) which again became an exhibition centre in 1981.

Die Zimmerstraße zwischen Wilhelm- und Friedrichstraße, 1994

Der Gropius-Bau ist durch einen erst nach dem Mauerfall fertiggestellten Neubaukomplex verdeckt. Jenseits der Wilhelmstraße ist nunmehr aber das als Sitz des Finanzministeriums vorgesehene ehemalige Reichsluftfahrtministerium zu erblicken.

Zimmerstrasse between Wilhelmstrasse and Friedrichstrasse, 1994

The Martin Gropius Building is hidden by a new housing complex built after the fall of the Wall. The former Imperial Air Ministry, and future Finance Ministry, is now visible on the opposite side of Wilhelmstrasse.

Die Zimmerstraße am Checkpoint Charlie, 1984

Die Zimmerstraße gehörte in voller Breite zum »Ost«-Bezirk Mitte. Wie an den meisten anderen Stellen des Mauerverlaufs im Stadtgebiet war jedoch das zum »Westen« hin gewandte »vordere Sperrelement«, der Maueraußenring, leicht zurückgesetzt vom tatsächlichen Grenzverlauf errichtet worden.

Zimmerstrasse at Checkpoint Charlie, 1984

The whole width of Zimmerstrasse belonged to the "Eastern" district of Mitte. As in most inner-city areas, the "West-facing outer barrier element", that is the Wall, was set back slightly from the actual border line.

Die Zimmerstraße von der Wilhelmstraße aus gesehen, 1994

Die Aufnahme wurde von einem etwas weiter westlich gelegenen Standort aus als die vorhergehende gemacht. Man erblickt daher links einen der wenigen auf der Nordseite der Zimmerstraße, also im Bezirk Mitte, erhalten gebliebenen Gebäudekomplexe (Nr. 86-91).

Looking down Zimmerstrasse from Wilhelmstrasse, 1994

This photograph was taken from a point slightly further west than in the previous picture. On the left, it shows one of the few surviving building complexes (nos. 86-91) on the north side of Zimmerstrasse in the district of Mitte.

Die Friedrichstraße am Checkpoint Charlie, 1981

Neben Brandenburger Tor und Bernauer Straße war der Checkpoint Charlie wohl spätestens seit der Konfrontation sowjetischer und US-amerikanischer Panzer im Oktober 1961 der international bekannteste Ort im Rahmen des Grenzverlaufs in der Innenstadt.

Friedrichstrasse at Checkpoint Charlie, 1981

The Brandenburg Gate and Bernauer Strasse were two of the major landmarks along the Wall. Checkpoint Charlie was the third. It rose to world fame in October 1961 when Soviet and American tanks stood face to face on this inner-city street.

Die Friedrichstraße an der Kreuzung mit der Zimmerstraße, 1998

Das mehrsprachige Schild mit dem Hinweis auf die ehemalige Sektorengrenze (ein Nachbau, kein Original) und die Fotoinstallation in der Straßenmitte halten inmitten neu entstandener Bürohäuser die Erinnerung an den einstigen »Checkpoint Charlie« wach.

Friedrichstrasse at the junction with Zimmerstrasse, 1998

Amid newly built office blocks a reproduction sign indicates in different languages where the former sector border lay. This and a photo installation in the middle of the road act as reminders of where "Checkpoint Charlie" once stood.

Der letzte Tag des Kontrollhäuschens am Checkpoint Charlie, 1990

Die bescheidene Baracke der US-Army am Grenzübergang Friedrichstraße, der Militärs und Angehörigen der westlichen Alliierten sowie Ausländern vorbehalten war, wurde im Juni 1990 ins Museum überführt.

Removing the famous control hut at Checkpoint Charlie, 1990

The modest US army control hut at the crossing point on Friedrichstrasse was reserved for military personnel, members of the western allies and non-German citizens. It was carefully removed to a museum in June 1990.

Die Friedrichstraße zwischen Koch- und Krausenstraße, 1998

Rund um die Nord-Süd-Achse des Stadtzentrums, die Friedrichstraße zwischen Bahnhof Friedrichstraße und Zimmerstraße, setzte nach dem Mauerfall eine massive Bautätigkeit ein.

Friedrichstrasse between Kochstrasse and Krausenstrasse, 1998

After the fall of the Wall building activity rapidly flourished around the north-south axis of the city centre between Friedrichstrasse Station and Zimmerstrasse. This heralded a renaissance of the city's traditional business centre.

Am Checkpoint Charlie, 1984

Die Aufnahme zeigt eine für die achtziger Jahre typische Szenerie, die die Atmosphäre bizarren Alltagslebens an der Mauer wiedergibt; hinter der neuaufgestellten, noch hell leuchtenden »Mauer der vierten Generation« entlang der Zimmerstraße (rechts im Bild) kümmerliche Reste einstiger City-Bauten.

At Checkpoint Charlie, 1984

This photograph reflects a typical scene during the eighties and the bizarre atmosphere surrounding the Wall. Behind the jeep a bright new section of the "fourth generation of the Wall" cordons off Zimmerstrasse with its derelict remains of old city housing.

Das Café Adler an der Kreuzung Friedrichstraße / Zimmerstraße, 1994

In der Nacht vom 9. / 10. November 1989 hatte das Café Adler, unmittelbar am Checkpoint Charlie gelegen, den stärksten Besucherandrang seiner Geschichte. Jetzt herrscht hier ringsum die Normalität des Baubooms, und das Kontrollhäuschen der Alliierten steht im Museum.

Café Adler at the junction of Friedrichstrassse and Zimmerstrasse, 1994

Café Adler at Checkpoint Charlie registered a record number of guests during the night of 9-10 November 1989. It is now surrounded by the relative normality of the building boom while the small Allied Checkpoint hut has become a museum exhibit.

Die Mauer zwischen Friedrichstraße und Springer-Hochhaus, 1985

Die Aufnahme vermittelt einen Eindruck von der »endlosen Gradlinigkeit« des Mauerverlaufs zwischen der Stresemannstraße im Nordwesten Kreuzbergs und der Lindenstraße (in ihrem nördlichen Abschnitt jetzt Axel-Springer-Straße).

The Wall between Friedrichstrasse and the Springer publishing house, 1985

This picture gives an impression of the "incessant straightness" of the Wall along Stresemannstrasse in the north-west of Kreuzberg and Lindenstrasse (now named Axel Springer Strasse at its northern end).

Die Zimmerstraße zwischen Friedrich- und Lindenstraße, 1998

Mit den Neubauten, die auf beiden Seiten der Zimmerstraße entstehen, werden die alten Baufluchten wiederhergestellt, wodurch auch die Enge der Straße wieder spürbar wird. Die Leerstandsrate in den neuen Bürogebäuden wird aber auf absehbare Zeit sehr hoch bleiben.

Zimmerstrasse between Friedrichstrasse and Lindenstrasse, 1998

The new buildings on both sides of Zimmerstrasse have restored the old contours and narrow atmosphere of this street. The new offices here will probably be less easy to let over the next few years simply because of their unimpressive location.

Trauerfeier an der Peter-Fechter-Gedenkstätte, 1989

Am 17. August 1962 verblutete der 18jährige Peter Fechter, von DDR-Grenzposten angeschossen, an der Mauer in der Zimmerstraße. Erst nach fünfzig Minuten wurde er abtransportiert. Auf der Westseite der Mauer erinnerte seitdem eine schlichte Gedenkstätte mit einem Holzkreuz an die Tat.

Remembrance ceremony at the Peter Fechter Memorial, 1989

On 17 August 1962, 18-year-old Peter Fechter bled to death at the Wall after being shot by GDR border guards. He lay bleeding for fifty minutes before being removed. A simple wooden cross was erected as a memorial on the west side of the Wall.

Die Zimmerstraße zwischen Charlotten- und Markgrafenstraße, 2002

An die Stelle der Gedenkstätte ist eine Stele zum Gedächtnis an Peter Fechter getreten. Der auf der Nordseite der Zimmerstraße neu errichtete Gebäudekomplex (linke Bildhälfte, Architekt: Aldo Rossi) täuscht mit seinen diversifizierten Fassaden die Kleinteiligkeit der früheren Bebauung vor.

Zimmerstrasse between Charlotten- and Markgrafenstrasse, 2002

Instead of the memorial site, there is now a stele as a memorial to Peter Fechter. The outer variety of the new complex on the north side of Zimmerstrasse (left; architect: Aldo Rossi) was designed to create the illusion of separate houses which once characterised this area.

Abriß der Mauer an der Kreuzung Zimmerstraße / Markgrafenstraße, 1990

Der größte Teil der innerstädtischen Grenzanlagen wurde noch zu DDR-Zeiten abgetragen, d. h. unter der Regie der Grenztruppen selbst. Der Hebekran entfernt gerade ein Stück der Betonröhre, der als »Mauerkrone« jegliche Flucht unmöglich machte.

Tearing down the Wall at the junction of Zimmerstrasse and Markgrafenstrasse, 1990

The majority of border installations were dismantled by GDR border guards during the last months of the state's existence. The crane is removing a section of concrete pipe, the Wall's "crowning glory", designed to stop the boldest escape attempts.

Die Kreuzung Zimmerstraße / Markgrafenstraße, 2002

Die Lücken, die durch Krieg und Nachkriegsabrisse entstanden waren, werden gefüllt – hier durch das »Quartier Schützenstraße«, das einen großen rechteckigen Block einnimmt –, und die Stadt bietet einen Anblick, als hätte es die Mauer nie gegeben.

The junction of Zimmerstrasse and Markgrafenstrasse, 2002

The gaps caused by the war and postwar demolition are being filled, in this case by the "Quartier Schützenstrasse", which forms a large square block. The city image changes, almost as if the Wall had never existed.

Abbruch der Mauer an der Zimmer- Ecke Markgrafenstraße, 1990

Als demonstrativen politischen Akt ließ der Verleger Axel C. Springer zwischen 1961 und 1966 den Neubau seiner Konzernzentrale unmittelbar an der Mauer errichten.

Dismantling the Wall on Zimmerstrasse at the corner of Markgrafenstrasse, 1990

In an act of political defiance, the publisher Axel C. Springer had his new headquarters built right next to the Wall between 1961 and 1966.

Die Zimmerstraße am Springer-Verlagsgebäude, 1996

Ein neu angelegter Bürgersteig verläuft dort, wo einst Todesstreifen und Mauer direkt an das Grundstück des Springer-Zeitungsverlages stießen. Durch Neubauten wird auch hier die Blockrandbebauung wiederhergestellt.

Zimmerstrasse and the Springer publishing house, 1996

A new pavement has replaced the Wall and death strip beside the Springer publishing house. New buildings are being erected to close old gaps and reconstruct traditional city contours.

Die Mauer vor dem Verlagshaus Axel Springer, um 1967

Die Flächenkomposition dieser Aufnahme zeigt in aller Deutlichkeit, wie bewußt provokativ und mit der Geste des »Jetzt erst recht!« das Springer-Verlagsgebäude nach 1961 direkt an die Mauer gesetzt wurde.

The Wall beside the Axel Springer publishing house, around 1967

The stark contrasts in this picture show distinctly the conscious provocation and audacity of the gesture when the Springer building was erected immediately next to the border after 1961.

Das »freigestellte« Verlagshaus Axel Springer, 1994

Auch hier ist von der Teilung nichts mehr erkennbar. Nicht nur die Tatsache, daß das Springer-Haus »hart an der Mauer« errichtet worden war, ist nicht nachzuempfinden, auch die politische Symbolik der Architektur ist verschwunden.

Wall-free: the Axel Springer publishing house, 1994

The conditions which undeniably existed until 1989 are no longer visible. The fact that the Springer building was erected right next to the Wall is now just a memory and the architecture has lost its old political symbolism.

Abbruch der Mauer an der Lindenstraße, 1990

Zu Mauerzeiten war dies das Schlußstück der Lindenstraße, die zuvor bis ins Herz der historischen Innenstadt geführt hatte. Noch im Juni 1962 waren nicht weit von hier unter einem später abgerissenen Haus mehrere Menschen durch einen Tunnel in den Westen geflohen.

Dismantling the Wall on Lindenstrasse, 1990

In the Wall era this was the last section of Linderstrasse which previously led into the heart of the historical city centre. In 1962, not far from here, several people escaped to the West through a tunnel from a building that was later demolished.

Die Axel-Springer-Straße mit Blick zur Schützenstraße, 1996

Von dem vor einigen Jahren umbenannten ehemaligen Schlußstück der Lindenstraße geht der Blick zu einem erhalten gebliebenen Geschäftshaus an der Schützenstraße. Die dahinterliegenden Wohnhochhäuser an der Leipziger Straße waren einst die Antwort der DDR auf das Springer-Hochhaus.

Looking towards Schützenstrasse from Axel Springer Strasse, 1996

This section of Lindenstrasse was renamed a few years ago. The picture shows an old business block that has survived on Schützenstrasse. The apartment blocks to the rear on Leipzigerstrasse were the GDR answer to the Springer publishing house.

Die Mauer über die Lindenstraße, 1978

Von der Zimmerstraße (am linken Bildrand) her kommend, überquert die Mauer die Fahrbahn der Lindenstraße (heute: Axel-Springer-Straße) und knickt im Zuge des Bürgersteigs nach Nordosten zur Kommandantenstraße hin ab; Fußgänger waren hier politisch im »Westen«, geographisch im »Osten«!

The Wall across Lindenstrasse, 1978

The Wall came from Zimmerstrasse (on the left), crossed the road in Lindenstrasse (now Axel Springer Strasse), then turned off along the pavement to the north-west and Kommandantenstrasse. Here pedestrians were politically in the "West" but geographically in the "East".

Die Axel-Springer-Straße mit Blick nach Nordosten zum Fernsehturm, 1996

Der Standort des Fotografen ist im Vergleich zur vorangehenden Aufnahme etwas zurückversetzt. Deutlich wird, wie die Hochhäuser an der Leipziger Straße das Springer-Haus zu übertrumpfen und seine Wirkung nach Ost-Berlin hinein abzumindern suchten.

Axel Springer Strasse looking north towards the television tower, 1996

The photographer has moved back for this comparative view. On the left the massive blocks on Leipziger Strasse are now clearly visible. The GDR erected them to challenge the Springer building and reduce its visual impact on East German citizens.

Der Grenzübergang Heinrich-Heine-Straße, 1986

Von der Kommandantenstraße an verlief die Mauer generell in Südostrichtung, aber nicht mehr gradlinig, sondern stark »gezackt«. Die Aufnahme zeigt eine delikate Situation: die Rückführung eines LKWs nach Ost-Berlin, mit dessen Hilfe an der Glienicker Brücke DDR-Bürgern die Flucht geglückt war.

The border crossing point at Heinrich Heine Strasse, 1986

From Kommanditenstrasse the Wall took a south-eastern course, but instead of being straight, it ran in irregular zigzags. The picture shows a delicate situation: a lorry is being returned to East Berlin. Some GDR citizens used it in a successful escape at Glienicke Bridge.

Blick in die Heinrich-Heine-Straße nach Norden, 1994

In Vorkriegszeiten war dies ein belebtes Viertel unweit der City. Erst der Fall der Mauer offenbarte die Nachkriegs-Trostlosigkeit der Gegend. Vorne links eine Behelfszufahrt, die am westlichen Kontrollpunkt vorbeiführte, da die Sebastianstraße in voller Breite zu Ost-Berlin gehörte.

Looking north along Heinrich Heine Strasse, 1994

In pre-war days this was a popular quarter close to the city centre. The fall of the Wall exposed its postwar desolation. On the left a provisional access road which led past the western checkpoint as the whole width of Sebastianstrasse belonged to East Berlin.

Blick über die Mauer in der Waldemarstraße auf die St.-Michael-Kirche, 1985

Die hölzerne Aussichtsplattform bot den Blick auf die St.-Michael-Kirche. Sie steht in der Hauptachse des 1926-28 zugeschütteten Luisenstädtischen Kanals. Die Aufnahme zeigt die Stelle, wo die Mauer ihn durchschnitt.

The Wall in Waldemarstrasse with the dome of the St Michael Kirche, 1985

The wooden platform offered a view of the church, St Michael Kirche. It stood beside the Luisenstädtische Canal which was filled in to form a long straight road in 1926-28. The picture shows where it was severed by the Wall.

Blick von der Waldemarstraße auf Neubauten, 1998

Einst standen in dieser Gegend Handel und Gewerbe in höchster Blüte. Trotz der neu errichteten Gebäude, die jetzt die St.-Michael-Kirche verdecken, ist eine »Stadtreparatur« hier nur mit Mühe vorstellbar.

View of new developments seen from Waldemarstrasse, 1998

Trade and small industry once flourished in this area. Despite the new buildings, which now partly conceal the St Michael Kirche, much imagination will be needed for "sensitive repairs" here.

Die Mauer entlang der Waldemarstraße, 1988

Die Bebauung der Waldemarstraße auf der zu Ost-Berlin gehörenden Seite wurde nach dem Mauerbau im Laufe der Jahre vollständig abgerissen. Das Gelände nördlich der Straße gehörte zum Todesstreifen, der hier zwischen Michaelkirchplatz und Waldemarbrücke teilweise mehrere hundert Meter breit war.

The Wall along Waldemarstrasse, 1988

Buildings on the East Berlin side of the street were completely demolished during the Wall years making way for a massive death strip between Michaelkirchplatz and the Waldemarbrücke bridge.

Blick entlang der Waldemarstraße in Richtung Südosten, 1998

Auf dem Gelände des ehemaligen Todesstreifens sind in den letzten Jahren einige Wohnhausneubauten entstanden. Dennoch wird der Gegend auf absehbare Zeit die städtebauliche Trostlosigkeit nicht genommen werden können.

Looking down Waldemarstrasse to the south-east, 1998

The former death strip is now buried beneath new residential blocks, but it will still take some time for the urban wounds to heal and the desolate atmosphere to disappear completely.

Mit Graffiti bemalte Mauer am Bethaniendamm, 1984

Bethanienufer und Engelufer hatten einst den Luisenstädtischen Kanal gesäumt, nach dessen Zuschüttung einen Grünzug. Nach dem Mauerbau verliefen der abgebildete Außenring – parallel zum Bethaniendamm – und der nach Ost-Berlin gerichtete Innenring statt dessen am Rande des Todesstreifens.

The Wall with graffiti on Bethaniendamm, 1984

In earlier times Bethanienufer and Engelufer formed the banks of the Luisenstädtischer Canal. This canal was filled in and grassed over here. Ironically, it became a "tailor-made" death strip during the Wall years, flanked by the outer wall.

Bethaniendamm und Engeldamm, 1994

Wie entlang der Zimmerstraße die Friedrichstadt, schnitt die Grenze zwischen den Bezirken Mitte und Kreuzberg – und damit ab 1961 die Mauer – auch am Bethaniendamm einen Stadtteil des alten Berlin, die Luisenstadt, in zwei Teile. Auch hier bleibt auf absehbare Zeit ein innerstädtisches Gefüge lädiert.

Bethaniendamm and Engeldamm, 1994

The Wall followed the district border along Zimmerstrasse which cut through the old city quarter of Friedrichstadt, in the same way as the border between Mitte and Kreuzberg along Bethaniendamm split Luisenstadt into two. It will take time for the two halves to grow together again.

Die Mauer entlang des Bethaniendamms an der St.-Thomas-Kirche, 1983

An der Nordseite des Mariannenplatzes und bis 1990 direkt an der Mauer, erhebt sich die zweitürmige St.-Thomas-Kirche mit ihrer über fünfzig Meter hohen Kuppel. Auch diese Aufnahme zeigt, wie sehr die Mauer zum »normalen« Bestandteil des Alltags in West-Berlin geworden war.

The Wall on Bethaniendamm with the church, St Thomas Kirche, 1983

On the north side of Mariannenplatz and next to the Wall until 1990, the two church towers of the St Thomas Kirche rise up more than fifty metres. This picture shows just how "normal" the Wall had become in West Berlin's everyday life.

Bethaniendamm und Engeldamm nördlich der St.-Thomas-Kirche, 1994

Die Trennung, die die Mauer zwischen »Ost« und »West«, hier zwischen den Bezirken Mitte und Kreuzberg, erzwang, ist aufgehoben. Dennoch hat man auch Jahre nach der Wiedervereinigung den Eindruck, »als habe ... jemand einen unsichtbaren, aber wirkungsvollen Trennstrich gezogen«.

Bethaniendamm and Engeldamm to the north of St Thomas Kirche, 1994

The Wall and the division between "East" and "West" have gone. Here movement between the districts of Kreuzberg and Mitte is free again. Even so, years after reunification the impression still lingers "as if someone has drawn an invisible, but effective, dividing line".

Die Spree an der Oberbaumbrücke zwischen Friedrichshain und Kreuzberg, 1987

Vom Gröbenufer geht der Blick über die Spree, die hier in voller Breite zu Ost-Berlin gehörte, zu der im 2.Weltkrieg beschädigten Brücke. Flüchtlinge, die an dieser Stelle schwimmend das Kreuzberger Ufer zu erreichen suchten, wurden von den DDR-Grenztruppen beschossen, einige getötet.

The Oberbaumbrücke on the Spree between Kreuzberg and Friedrichshain, 1987

Looking from Gröbenufer in Kreuzberg: the Spree and the war-damaged bridge, Oberbaumbrücke. Here, the whole width of the river belonged to East Berlin. GDR border guards shot at people trying to swim to freedom here. Some were killed in the attempt.

Die wiederhergestellte Oberbaumbrücke, 1998

Erst seit ihrer Rekonstruktion erkennt man wieder, daß die Oberbaumbrücke eine Stadtmauer mit Toröffnung und dazugehörigen Türmen darstellt. Tatsächlich trägt sie ihren Namen nach dem Oberbaum, der hier die Spree nächtens absperrte, als die Brücke noch die Funktion eines Stadttores auf dem Fluß hatte.

The restored bridge, Oberbaumbrücke, 1998

Now that it has been restored the bridge is again recognizable as a city wall with a gate flanked by two towers. The name comes from the "upper boom" which sealed off the Spree at night when the bridge still served as a river gateway to the city.

Sprengung eines Wohnhauses in der Elsenstraße, 1985

An der Kreuzung Elsenstraße / Heidelberger Straße gab es immer wieder dramatische Fluchtaktionen durch Tunnel, mit Lastwagen usw. Seit 1963 wurden in dieser Gegend immer wieder Wohnhäuser gesprengt, um bessere Überwachungsmöglichkeiten im Grenzstreifen zu schaffen.

Demolition of an apartment house on Elsenstrasse, 1985

The junction at Elsenstrasse and Heidelbergerstrasse was the scene of many dramatic escape attempts, by tunnel, lorry etc. After 1963 houses were systematically demolished over the years to ensure better surveillance along the border.

An der Kreuzung Elsenstraße / Heidelberger Straße, 1994

Von der Bebauung an der Elsenstraße und der Heidelberger Straße ist vor dem Werk für Signal- und Sicherungstechnik (das Fabrikgebäude in der Bildmitte) nichts mehr übriggeblieben. Die Stadtbrache wird jetzt von einem Parkplatz eingenommen.

At the junction of Elsenstrasse and Heidelbergerstrasse, 1994

Here, all the houses from Elsenstrasse along Heidelbergerstrasse have completely vanished exposing the "signal and security technology factory" (centre). This city wasteland is currently being used as a car park.

Die Mauer an der Treptower Straße in Neukölln, 1983

Wo die Heidelberger Straße, von Nordwesten her kommend, in die Treptower Straße einmündete, knickte die Bezirksgrenze zwischen Neukölln und Treptow nach Nordosten ab und verlief entlang der Treptower Straße bis zu deren Ende. Dementsprechend verlief auch die Mauer.

The Wall on Treptower Strasse in the district of Neukölln, 1983

Coming from the north-west, Heidelbergerstrasse joined Treptower Strasse in a bend. This also marked the district border between Neukölln and Treptow which turned off north-east following Treptower Strasse to the end. The Wall dutifully followed suit.

Die Treptower Straße an der Einmündung der Heidelberger Straße, 1994

Die Treptower Seite der Heidelberger Straße und die Treptower Straße könnten nach den jahrzehntelangen stadtzerstörerischen Abrissen zugunsten des Kontrollstreifens ein wenig Regeneration durch Neubauten vertragen.

Treptower Strasse at the corner of Heidelbergerstrasse, 1994

In the district of Treptow (right), Heidelbergerstrasse and Treptower Strasse are in need of redevelopment after years of division, destruction and death strip desolation.

Die Grenzkontrollstelle Waltersdorfer Chaussee, 1984

Der Grenzübergang, auf West-Berliner Seite Abschluß eines vom Hermannplatz her den Bezirk Neukölln durchquerenden Straßenzuges, war im Juni 1963 für Benutzer des Flughafens Schönefeld eingerichtet worden; ein Flugticket berechtigte hier zur »Einreise in die DDR«.

The border control point on Waltersdorfer Chaussee, 1984

Approaching from the west, this checkpoint stood at the end of a road leading from Hermannplatz through the district of Neukölln. It was opened in 1963 for travellers using Schönefeld Airport: an air ticket entitled them to "entry into the GDR".

Die Waltersdorfer Chaussee an der Grenze Berlins zu Brandenburg, 1995

Ohne Zwangsaufenthalt durch Grenzkontrollen führt die Chaussee jetzt zum 1960 erbauten Flughafen Schönefeld, der einen Teil des Passagieraufkommens von ganz Berlin trägt, solange es keinen modernen Großflughafen für Berlin gibt.

Waltersdorfer Chaussee at the border between Berlin and Brandenburg, 1995

No more delays with border controls on Waltersdorfer Chaussee. There is now free access to Schönefeld Airport which was built in 1960 and shares Berlin's air traffic until the city builds a new international airport.

Die Grenze an der Waßmannsdorfer Chaussee, 1988

Die Waltersdorfer wie auch die Waßmannsdorfer Chaussee waren jeweils nach einem märkischen Dorf wenige Kilometer südlich Berlins benannt, zu dem die Straße vom Berliner Stadtrand aus hinführte. Zu Mauerzeiten diente das Grenzgebiet als kümmerliches Ersatz-Ausflugsziel.

The border on Wassmannsdorfer Chaussee, 1988

Walterdorfer Chaussee and Wassmannsdorfer Chaussee were both named after small villages, slightly south of Berlin, to which they led from the city border. In the Wall years outings into the countryside were abruptly halted by the brutal border.

Die Waßmannsdorfer Chaussee am südlichen Stadtrand Berlins, 1994

Ein Bild spätwinterlicher Idylle in Rudow, am südlichen Rand des wiedervereinigten Berlin. Die Waßmannsdorfer Chaussee führt wieder hinaus nach Waßmannsdorf, Landkreis Dahme-Spreewald. Besondere Kennzeichen: Rieselfelder und Nähe zum Autobahnzubringer A 96a.

Wassmannsdorfer Chaussee on the southern edge of Berlin, 1994

A late winter idyll in Rudow on the southern edge of reunited Berlin. Wassmannsdorfer Chaussee again leads to Wassmannsdorf in the rural district of Dahme-Spreewald. Main features: sewage farms and the A 96a autobahn access route.

Grenzanlagen und Gropiusstadt, 1986

Die Gropiusstadt wurde wie andere Großwohnsiedlungen in den 60er und 70er Jahren als Trabant nah zur DDR-Grenze errichtet. Die Konfrontation zwischen Stadtrandsiedlung und Todesstreifen, wie sie sich durch die Abriegelung West-Berlins seit August 1961 hier aufdrängte, ergab sich unbeabsichtigt.

Border installations and Gropiusstadt, 1986

Gropiusstadt was one of several major residential developments built in the 1960s and 1970s close to the GDR border. Confrontation between such satellite developments and the death strip after the sealing-off of West Berlin in August 1961 was unintentional.

Vorstadtgrün und Gropiusstadt, 1994

Der unvermittelte Übergang von Ackerflächen zu »Punkthäusern in Zeilenbauweise« an dieser Stelle dürfte für zukünftige Stadtplanung ein durchaus unerwünschtes Erbe darstellen. Die Wohnhochhaus-Silhouette der Gropiusstadt erinnert jedenfalls nicht an Manhattan...

Greenery and Gropiusstadt, 1994

This sharp contrast between agricultural landscape and "bar-code buildings" is likely to prove an unwanted legacy to future city planners. The silhouette of the high-rise blocks certainly bears no resemblance to the Manhattan skyline...

Die Gaststätte »Mauerblümchen« am Südrand von Buckow, 1986

In Buckow, wo etwa in der Mitte des Berliner Südens die gezackte Grenze weit nach Norden vorsprang, wurde – einen Steinwurf von der Mauer entfernt – Ende der 70er Jahre eine Diskothek zur Gaststätte umgebaut. Zweimal, 1983 und 1986, gelang DDR-Grenzern die Flucht in das Haus.

The "Mauerblümchen" restaurant on the border in Buckow, 1986

Close to the Wall in Buckow, in the middle of Berlin's southern border which jutted to the north: this is where a discotheque was turned into a restaurant at the end of the 1970s. In 1983 and 1986 GDR border guards made two successful escapes to this house.

Die Gaststätte »Mauerblümchen« am Südrand von Buckow, 1994

Die Mauer ist verschwunden, das »Mauerblümchen« ist geblieben . Aber wie das so geht im Leben: Seine wirtschaftliche Lage, so versichert der Gaststätteninhaber glaubwürdig, habe sich seit dem Wegfall der Grenze – und dem Ende des »Mauertorurismus« – verschlechtert.

The "Mauerblümchen" restaurant on the border in Buckow, 1994

The Wall has gone but the little "Wallflower" pub remains. Life goes on, but the landlord says the economic situation has deteriorated since the border disappeared and the "Wall tourists" stopped coming.

An der Autobahn bei Dreilinden, 1984

Wenige hundert Meter trennten die abgebildete Stelle von dem Grenzübergang, dem legendären Kontrollpunkt Drewitz, mit seiner mehrspurigen Abfertigung, den Kontrollhäuschen, den »Dokumenten-Beförderungsbändern« und den Fragen der Grenzer nach »Waffen, Sprengstoff, Munition, Funkgeräte?«

On the autobahn near Dreilinden, 1984

It was only a few hundred metres from this point to the legendary border control point Drewitz with its multi-lane processing, control booths, "document conveyor belts" and GDR border guards asking: "Weapons, explosives, ammunition, radios?"

An der Autobahn bei Dreilinden, 1994

Bald wird auch an dieser Stelle die Autobahn von und nach Berlin dreispurig ausgebaut werden, weil das »Verkehrsaufkommen« sprunghaft angestiegen ist, vor allem auf der Autobahn nach Hannover über Helmstedt – auch schon früher die am stärksten belastete unter den nach Berlin führenden Strecken.

The autobahn near Dreilinden, 1994

This section of autobahn will soon be widened to three lanes because traffic to and from Berlin has increased so much, especially on the autobahn to Hannover via Helmstedt. Even in the Wall era this route to Berlin always had the heaviest traffic.

Blick durch Mauerreste auf das sowjetische Ehrenmal bei Dreilinden, 1990

Dieser historische T 34-Panzer der Roten Armee wurde nach etlichen Attacken aufgebrachter West-Berliner in den 50er Jahren von seinem ursprünglichen Standort an der Potsdamer Chaussee auf den hier abgebildeten Sockel am Rand der Autobahn nahe Dreilinden versetzt.

The Soviet memorial seen through the shattered Wall near Dreilinden, 1990

This historical T 34 Red Army tank was moved to the edge of the autobahn near Dreilinden from its original site on Potsdamer Chaussee after angry Berliners attacked it several times during the 1950s.

Das ehemalige sowjetische Ehrenmal bei Dreilinden, 1994

Nach 1990 verschwand beim Abzug der sowjetischen Truppen aus Deutschland auch der Panzer vom Ehrenmal bei Dreilinden. Auf den leeren Sockel hievten 1993 Künstler aus Protest gegen die sinnlose Zerstörung von Denkmälern eine alte Schneeräummaschine aus Beständen der Sowjetarmee.

The former Soviet memorial near Dreilinden, 1994

After 1990 the memorial tank disappeared during the withdrawal of Soviet troops from Germany. In 1993 some artists hoisted an old Soviet army snow-plough onto the empty plinth in protest against the senseless destruction of memorials.

Unfall an der Mauer in Zehlendorf, 1986

An einigen Stellen, wie etwa an der Ecke Bernauer / Gartenstraße nutzten Selbstmörder die Mauer, um sich mit dem Auto das Leben zu nehmen. Nicht ganz so dramatisch, aber auch gefährlich die Situation an der Königstraße in Zehlendorf kurz vor der Glienicker Brücke: Die Aufnahme zeigt einen Glatteisunfall.

Accident at the Wall in Zehlendorf, 1986

In certain places, such as at the corner of Bernauerstrasse and Gartenstrasse, people used the Wall in suicide attempts. This picture shows a dangerous but less dramatic incident caused by black ice on the road.

An der Zehlendorfer Königstraße, kurz vor der Glienicker Brücke, 1994

Das Bild zeigt eine längst (wieder) alltägliche Situation. Seitdem die Mauer verschwunden ist, ahnt kaum jemand mehr, daß sich hier (am linken Bildrand) ein kleiner Zipfel des Potsdamer Stadtteils Babelsberg zwischen Schloß Glienicke und Böttcherberg in diese Südwest-Ecke Berlins hineinzwängt.

Königsstrasse in Zehlendorf, approaching Glienicke Bridge, 1994

Back to normality. Since the Wall disappeared hardly anyone is aware that on the left a small section of Babelsberg (part of Potsdam) juts into the south-west corner of Berlin, between Glienicke Palace and Böttcherberg.

Austauschaktion auf der »Brücke der Einheit«, 1986

Die 1952 in »Brücke der Einheit« umbenannte Glienicker Brücke wurde seit 1962 zum Schauplatz aufsehenerregender Arrangements zwischen den Großmächten. Die Aufnahme zeigt die Freilassung des sowjetischen Bürgerrechtlers Anatolij Schtscharanskij im Austausch gegen östliche Spione im Februar 1986.

Exchanging prisoners on the "Bridge of Unity", 1986

Glienicke Bridge was renamed "Bridge of Unity" in 1952. After 1962 it was the scene of famous exchanges between the major powers. This picture shows the exchange of the Soviet human-rights advocate, Anatoly Shcharansky, and eastern spies in February 1986.

Die Glienicker Brücke, von Westen aus gesehen, 1996

»Um 18 Uhr ist der Grenzübergang Glienicker Brücke geöffnet worden«, lautete eine Meldung vom Abend des 10. November 1989. Als erster zusätzlicher Grenzübergang auch für den Autoverkehr freigegeben, wurde die Brücke wieder Teil der wichtigsten Verkehrsverbindung zwischen Berlin und Potsdam.

Looking East over Glienicke Bridge, 1996

On the evening of 10 November 1989 the news broke: "The border at Glienicke Bridge was opened at 6 p.m." It was the first new border crossing point opened for vehicles. The bridge again became a major link between Berlin and Potsdam.

Die Dorfkirche von Staaken mit Wachturm und Mauer, 1982

Der Alliierte Kontrollrat stellte am 30.August 1945 den westlichen Teil des alten Dorfs Staaken unter sowjetische Befehlsgewalt – im Austausch gegen eine Fläche zum Ausbau des Flughafens Gatow. Daher teilte seit 1961 die Mauer das Dorf, und die Dorfkirche lag in der zur DDR gehörenden Hälfte.

The village church at Staaken with watchtower and Wall, 1982

On 30 August 1945 the Allied Control Council placed the western part of the old village of Staaken under Soviet control in exchange for an area to extend Gatow Airfield. In 1961 the Wall cut the village in two leaving the church in the GDR.

Die Dorfkirche von Staaken, 1994

Die Dorfkirche wurde zwischen 1436 und 1440 erbaut. Das ursprünglich nicht verputzte Gebäude ist aus unbearbeiteten Feldsteinen gemauert. Der Westturm wurde 1712 aus Ziegeln errichtet. Da die nahegelegene Heerstraße den Fernverkehr abzieht, scheint seit 1990 die alte märkische Idylle wiederhergestellt.

The village church at Staaken, 1994

The village church was built with natural field stone walls between 1436 and 1440. The western tower was built of brick in 1712. In 1990 the old village idyll returned, away from all the long-distance traffic which travels along nearby Heerstrasse.

Der Todesstreifen zwischen Spandau und Falkensee, 1982

Die Aufnahme läßt erkennen, welche Schwierigkeiten die DDR hatte, die »modernen« Grenzanlagen mit der möglichst tiefen Staffelung ihrer einzelnen Bestandteile dem Verlauf der Grenze an den Stellen anzupassen, wo vor der Abriegelung West-Berlins locker bebaute Stadtrandzonen ins Umland übergingen.

The death strip between Spandau and Falkensee, 1982

The picture shows the problems facing "modern" border engineers in the GDR. Intergrating all the different installations proved difficult where loose-knit settlements often tended to ignore the city limits before West Berlin was sealed off by the Wall in 1961.

Am westlichen Stadtrand Berlins bei Falkensee, 1994

Unschwer zu erkennen: die Brache, die der einstige Todesstreifen zwischen den einzelnen Siedlungen hinterlassen hat. In ein paar Jahren wird vermutlich diese »Narbe« entlang der Stadtgrenze Berlins nur noch an wenigen Stellen wahrnehmbar sein.

The western edge of Berlin near Falkensee, 1994

Still visible: the wasteland created between settlements by the death strip. In a few years these "scars" along Berlin's border will presumably have healed over almost everywhere.

Die Mauer an der Oranienburger Chaussee in Reinickendorf, 1985

Im alten märkischen Verkehrs- und Wegesystem war Oranienburg für Berlin ein wichtiger Bezugspunkt. So führten Oranienburger Straße, Oraniendamm und Oranienburger Chaussee durch die verschiedenen Ortsteile Reinickendorfs an den Nordrand Berlins, wo die Mauer die Straße zur Sackgasse machte.

The Wall on Oranienburger Chaussee in Reinickendorf, 1985

Within Brandenburg's old road network Oranienburg was an important destination from Berlin. Orienienburger Strasse, Oraniendamm and Oranienburger Chaussee wound through Reinickendorf in north Berlin where the Wall created a sudden dead-end.

Die Oranienburger Chaussee an der nördlichen Berliner Stadtgrenze, 1996

Jetzt führt die Bundesstraße 96 wieder geradewegs von Berlin nach Oranienburg, und die Anwohner leiden an ihrer Überlastung als Tag für Tag überlasteter Transportstrecke und Wochenend-Ausflugsroute.

Oranienburger Chaussee at the northern border of Berlin, 1996

The federal road 96 again runs from Berlin through to Oranienburg and residents now suffer from the noise of heavy daily traffic and weekend tourism on this major transport route.

Die Mauer zwischen Reinickendorf und Pankow, 1990

Das Dorf Lübars im Nordosten des (West-)Bezirks Reinickendorf gehörte zu den Orten, in denen man zu Mauerzeiten mehr als einen Hauch märkischer Idylle spüren konnte. Das machte Lübars samt Umgebung zum beliebten Ausflugsziel. Die Aufnahme zeigt den Mauerverlauf östlich von Lübars.

The Wall between Reinickendorf and Pankow, 1990

The village of Lübars in the north-east of the (western) district of Reinickendorf had much idyllic rural charm during the Wall era. Lübars and its surroundings were popular leisure destinations. The picture shows the Wall to the east of Lübars.

Die Grenze zwischen den Bezirken Reinickendorf und Pankow, 1994

Wer nicht weiß, daß diese Stelle als Grenze zwischen dem Bezirk Pankow (sowjetischer Sektor) und dem Bezirk Reinickendorf (französischer Sektor) 1945 völkerrechtlich zur Demarkationslinie wurde, sieht ihr heute nicht mehr an, daß diesseits und jenseits der Grenze zwei Welten lagen.

The border between the districts of Reinickendorf and Pankow, 1994

Few people know that the border between Pankow (Soviet sector) and Reinickendorf (French sector) was declared a demarcation line in international law in 1945. Today no trace is left of the two divided worlds that once existed here.

Der Grenzstreifen an der Eberswalder Straße / Bernauer Straße, 1980

Der Blick geht aus dem West-Berliner Bezirk Wedding in die Verlängerung der Bernauer Straße auf Ost-Berliner Seite, die Eberswalder Straße im Bezirk Prenzlauer Berg. Mauer und Todesstreifen laufen, von Norden (links im Bild) kommend, entlang der Schwedter Straße.

The death strip on Eberswalder Strasse and Bernauer Strasse, 1980

Looking across from the West Berlin district of Wedding to the extension of Bernauer Strasse, named Eberswalder Strasse in the eastern district of Prenzlauer Berg. The wall and death strip run from the north (on the left) along Schwedter Strasse.

Eberswalder und Bernauer Straße, 1994

Die Treppen links im Bild führen zum mittlerweile fertiggestellten Mauerpark entlang der in diesem Abschnitt stillgelegten Schwedter Straße. Der östliche Streifen des Mauerparks ist identisch mit dem ehemaligen Todesstreifen; er grenzt an den Friedrich-Ludwig-Jahn-Sportpark (am linken Bildrand).

Eberswalder Strasse and Bernauer Strasse, 1994

The steps on the left lead to the Wall Memorial Centre on Schwedter Strasse which is closed to traffic here. The eastern strip of the memorial is identical with the old death strip. It borders on the Friedrich Ludwig Jahn Sportpark (left edge).

Die Versöhnungskirche an der Bernauer Straße, um 1962

Die Bernauer Straße gehörte zu West-Berlin, die Häuser auf der Südseite hingegen zm Ost-Berlin, was nach dem 13. August 1961 spektakuläre Fluchtaktionen aus diesen Häusern heraus möglich machte.

The church, Versöhnungskirche, on Bernauer Strasse, around 1962

The whole of Bernauer Strasse belongs to the West Berlin district of Wedding, but the houses on the south side belong to the East Berlin district of Mitte. There were spectacular escapes from the buildings after 13 August 1961.

Die Bernauer Straße an der Einmündung der Hussitenstraße, 2002

1965 wurden die Häuser auf der Ost-Berliner Seite der Bernauer Straße abgerissen, 1985 die Versöhnungskirche. Seit 1999 schreibt die an ihrer Stelle aus Stampflehm errichtete »Kapelle der Versöhnung« die Geschichte des Ortes fort.

Bernauer Strasse, with Hussitenstrasse running into it, 2002

In 1965 the houses on the East Berlin side of Bernauer Strasse were demolished, likewise – in 1985 – the Church of Reconciliation. In 1999 the chapel of Reconciliation was built in its place.

Die Sprengung der Versöhnungskirche, 1985

Auf beiden Seiten der Versöhnungskirche standen Wachtürme, zwischen denen der Sichtkontakt durch die Kirche verhindert wurde. Die Ost-Berliner Behörden beschlossen daher die Beseitigung des Kirchenbaus. Ende Januar 1985 wurde das Gotteshaus in zwei Etappen gesprengt.

Demolition of the Versöhnungskirche, 1985

There were watchtowers on either side of the church but it impeded the borders guards' view. The authorities in East Berlin decided to raze it to the ground by detonating it in two stages at the end of January 1985.

Die Südseite der Bernauer Straße, 2002

Einst erfüllt mit pulsierendem Leben, wurde das Gebiet an der südlichen Straßenseite durch den Abriss der Bebauung zu einem Teil des Mauerstreifens, mit dem Mauerfall zu einer riesigen Brache. Die 1999 eingeweihte »Kapelle der Versöhnung« (rechts) verdeutlicht die Unmöglichkeit bloßer »Stadtreparatur«.

Bernauer Strasse, south side, 2002

Once buzzing with urban life, the area on the southern side of the street was cleared of buildings and was integrated into the Berlin Wall no-man's-land. After the Wall had come down, a huge wasteland remained. The Chapel of Reconciliation (right), consecrated in 1999, clearly shows that a mere 'urban repair' is impossible.

Der Grenzübergang Chaussee-, Ecke Liesenstraße, 1989

Die Mauer beschrieb am Ende der Bernauer Straße einen rechten Winkel nach Nordwesten, knickte an der Liesenstraße nach Südwesten ab und führte westlich über die Chausseestraße. Am für West-Berliner vorgesehenen Grenzübergang Chausseestraße wurde sie am 9. November 1989 um 20.34 Uhr geöffnet.

The border crossing point on Chausseestrasse at the corner of Liesenstrasse, 1989

At the end of Bernauer Strasse the Wall sheered off to the north-west at a right-angle, turned south-west at Liesenstrasse and went west along Chausseestrasse. The Chausseestrasse crossing point for West Berliners opened up completely precisely 8.34 p.m. on 9 November 1989.

Die Chausseestraße an der Liesenstraße, 1994

An der Chausseestraße vor dem Oranienburger Tor lagen im 19. Jahrhundert die großen Berliner Maschinenfabriken. Die Gegend ist nördlich der Invalidenstraße von einer gewissen Trostlosigkeit gekennzeichnet, die auch nach dem Fall der Mauer trotz einiger Neubauten nicht recht weichen will.

Chausseestrasse at the corner of Liesenstrasse, 1994

In the 19th century big engineering factories were located on Chausseestrasse in front of the Oranienburger Gate. This area north of Invalidenstrasse has a desolate atmosphere which, despite some development, changed little since the fall of the Wall.

Die Mauer zwischen Reichstag und Brandenburger Tor, 1990

Entlang der Sommerstraße (heute: Ebertstraße), die östlich am 1894 eingeweihten Reichstag vorbeiführte, verlief bis 1867 die Stadtmauer. Es war ein demonstrativer Akt, den Reichstag hierher zu »verbannen«. Mit dem Bau der Mauer von 1961 geriet das Gebäude erneut ins Abseits.

The Wall between the Reichstag and Brandenburg Gate, 1990

Until 1867 the old city wall followed Sommerstrasse (now Ebertstrasse) which ran east beside the Reichstag, the Imperial Parliament (inaugurated in 1894). The parliament was "banned" from the city in an act of defiance. In 1961 the Wall cut the building off yet again.

Blick auf den Reichstag vom Brandenburger Tor, 2002

Plenartagungen des Bundestages im rekonstruierten Reichstagsgebäude sind zur Selbstverständlichkeit, vor allem aber ist die begehbare gläserne Kuppel (Architekt: Norman Foster) zu einem der größten Anziehungspunkte des »neuen Berlin« geworden.

View of the Reichstag from the Brandenburg Gate, 2002

Plenary parliamentary sessions of the Bundestag are now regularly held in the Reichstag building, and Norman Foster's glass dome has become one of the biggest tourist attractions of Berlin.

Blick vom Ostbalkon des Reichstags auf Mauer und Brandenburger Tor, 1988

Beim Besuch von Staatsgästen im Westteil der Stadt gehörte es zum Ritual, vom Ostbalkon des Reichstags aus einen Blick über die Mauer zu werfen. Die Aufnahme zeigt den Regierenden Bürgermeister Eberhard Diepgen mit dem portugiesischen Ministerpräsidenten Anibal Cavaco Silva im April 1988.

View of the Wall and Brandenburg Gate from the east balcony of the Reichstag, 1988

In West Berlin it was a standard ritual to take state visitors to the east balcony of the Reichstag and look over the Wall. This picture shows the governing mayor, Eberhard Diepgen, with the Portuguese prime minister, Anibal Cavaco Silva, viewing the border in April 1988.

Blick vom Reichstag zum Brandenburger Tor, 2002

Das links sichtbare Gebäude, das ehemalige Ingenieursvereinshaus, ist kein Solitär mehr. Es wurde in die neu entstandene, aber zur Berliner Bautradition gehörende Blockrandbebauung mit Büro- und Geschäftshausbauten – deren Rasterfassaden allerdings oft recht monoton wirken – einbezogen.

View of the Brandenburg Gate from the Reichstag, 2002

On the left the former Engineers Association building no longer stands isolated. It was built in the relatively new "block style" which soon became traditional in Berlin building design for shops and offices, but the modular façades were often rather monotonous.

Blick von der Scheidemannstraße über die Mauer, 1982

Jenseits der Mauer führte hier die Clara-Zetkin-Straße durch die Dorotheenstadt, die seit 1674 entstandene zweite Berliner Neustadt, und ins nahegelegene Universitätsviertel. Seit 1995 heißt die Straße wieder Dorotheenstraße.

The Wall on Scheidemannstrasse, 1982

On the other side of the Wall Clara Zetkin Strasse ran through Dorotheenstadt, Berlin's second new quarter built in 1674. The road continued to the university quarter. In 1995 the street was given back its old name Dorotheenstrasse.

Blick in die Dorotheenstraße Richtung Osten, 2002

Die »neue« Dorotheenstraße, fast ausschließlich von neu errichteten Bürohäusern für die Bundestagsabgeordneten gesäumt, ist als nördliche Umfahrung des Brandenburger Tores zur wichtigen Verbindung zwischen Reichstagsgebäude und der Straße Unter den Linden geworden.

View along Dorotheenstrasse towards the East, 2002

The 'new' Dorotheenstrasse, almost exclusively lined by new office buildings for Members of the Bundestag, has become an important traffic connection between the Reichstag and Unter den Linden, skirting the Brandenburg Gate.

Die Mauer nördlich des Brandenburger Tors, 1988

Die Aufnahme zeigt, vergleicht man sie mit der Fotografie von 1865 auf Seite 15, aufgenommen an derselben Stelle, die streckenweise verblüffende Identität des Verlaufs der DDR-Mauer mit der Akzisemauer des 18. Jahrhunderts.

The Wall to the north of the Brandenburg Gate, 1988

This picture is taken from the same angle as the one showing the old city wall in 1865 (see page 15). The incredible similarity between the course of the old 18th century wall and the 20th century GDR Wall is clearly visible.

Blick vom Dach des Reichstagsgebäudes Richtung Brandenburger Tor, 2002

Aus dem Todesstreifen nördlich des Brandenburger Tores wurde wieder eine Straße mit »geschlossener Blockrandbebauung«.

View from the roof of the Reichstag towards the Brandenburg Gate, 2002

The 'death strip' has again become a street lined with uninterrupted 'peripheral street blocks'.

Das Brandenburger Tor von Nordwesten, 1986

Mehr als ein halbes Jahrhundert nach der Ernennung des »Führers« der NSDAP, Adolf Hitler, zum Reichskanzler durch Reichspräsident Hindenburg wird der 1934 bei dessen Tod umbenannte Platz vor dem Brandenburger Tor auf westlicher Seite noch immer offiziell als »Hindenburgplatz« bezeichnet...

The Brandenburg Gate from the north-west, 1986

When the German President, Hindenburg, died in 1934 the square in front of the Brandenburg Gate received his name. The name remained over fifty years after Hindenburg appointed the Nazi leader, Adolf Hitler, Chancellor of Germany.

Das Brandenburger Tor von Nordwesten, 1998

Das Tor hat ein bißchen viel Geschichte mitgemacht: Eroberung und Besetzung, die Entführung der Quadriga, heimkehrende Soldaten, Militärparaden und Festempfänge, Bürgerkriegskämpfe, den Fackelmarsch der SA, den »Kampf um Berlin«, den Mauerbau. Inmitten des »neuen Berlin« wirkt es ein wenig verloren...

The Brandenburg Gate from the north-west, 1998

This gate has seen much history: defeat and occupation, the quadriga taken as war booty, returning soldiers, military parades and celebrations, civil war, the torchlight parade of Hitler's SA, the "Battle of Berlin", the Wall. It looks a bit lost in the heart of "new Berlin"...

Das Brandenburger Tor, vom Pariser Platz aus gesehen, um 1976

Ein offizielles Foto, das DDR-Staatsgästen bei der Besichtigung der Mauer in einer Ausstellung präsentiert wurde. Die Aufnahme zeigt die Quadriga ohne Preußenadler und Eisernes Kreuz, die bei der 1958 von Ost-Berliner Seite vorgenommenen Restauration des Tores eliminiert worden waren.

The Brandenburg Gate seen from Pariser Platz, 1976

This official photograph was presented to GDR state visitors who viewed the Wall and an exhibition. The Prussian eagle and iron cross are missing from the quadriga. They were removed when the east side of the gate was restored in 1958.

Das Brandenburger Tor, vom Pariser Platz aus gesehen, 1998

Bis zur Grenzöffnung am 22. Dezember 1989 für normalsterbliche Passanten unzugänglich, ist der Pariser Platz, ehemals Berlins »Empfangssalon«, nunmehr zum Veranstaltungsort und zur Touristenattraktion geworden. Seine Randbebauung wird auf absehbare Zeit Gegenstand heftiger Kontroversen bleiben.

The Brandenburg Gate seen from Pariser Platz, 1998

Pariser Platz was closed to "normal" people until 22 December 1989. The square was once a centre of high society. Now it is the scene of various events and a big tourist attraction. Development here is still a highly controversial topic.

Bildnachweis

Abbildung auf dem Umschlag:
Harry Hampel, ergänzt durch ein Foto
von Armin und Liselotte Orgel-Köhne/
Bildarchiv Preußischer Kulturbesitz, Berlin

Sammlung Thomas Friedrich: S. 130
Landesbildstelle Berlin: S. 66, 70, 108, 114
Gitta Pieper-Meyer: Karte S. 13
Karl-Robert Schütze: S. 44

Alle anderen Abbildungen, soweit nicht anders
vermerkt: Harry Hampel